SCIENCE COMIC

Why?

W9-AZF-631

초등과학학습만화
SCIENCE COMIC

Why? 발명·발견

예림당

Why? 발명·발견

2004년 11월25일 1판1쇄 발행
2007년 6월11일 1판10쇄 발행

펴낸이 나성훈
펴낸곳 (주)예림당
등록 제 4-161호
주소 서울특별시 강남구 삼성동 153
대표전화 566-1004
팩스 567-9660
http://www.yearim.co.kr
ISBN 978-89-302-0635-8 73500
ⓒ 2004 예림당

Staff

내용을 꼼꼼히 감수해 주신 분

왕연중

전북 정읍에서 태어나 연세대학교 특허법무대학원,
건국대학교 행정대학원을 수료하였습니다.
한국과학기술도서상 저술상, 한국과학저술인상
저술상을 수상하였고, 현재 영동대학교 발명특허학과
협력 교수, 한국과학저술인협회 이사, 한국발명진흥회
특허관리지원팀장으로 재직중입니다.
지은 책으로는 〈엉뚱한 발상 하나로 세계적 특허를
거머쥔 사람들 1~10〉 〈꾸러기들의 발명 잔치 1,2〉
〈신나는 발명 교실〉 〈발명이 이렇게 쉬울 수가〉 등
90여 권이 있습니다.

재미있는 밑글과 알기 쉽게 그림을 그려 주신 분

김민재

성균관대학교 미술교육과를 졸업하고, 제3회
서울만화 공모전에서 입상, 제1회 기독만화
콘테스트에서 은상을 수상하였습니다. 현재
몇몇 초등학교, 중학교에서 만화를 강의하고 있으며,
각종 인터넷 사이트, 잡지 등에 연재를 하고 있습니다.
지은 책으로는 〈꼭꼭 숨겨져 있던 28가지
몰래 발명 이야기〉가 있습니다.

기획 및 편집 책임 | 백광균
편집 | 연양흠 전윤경 박효정
사진 | 김창윤
디자인 | 이정애 김수인 김현아
제작 | 정병문 조재현 전계현
마케팅 | 김영기 채청용 정학재 지재훈
       김희석 김혜정 김경봉 정웅
사진자료협조 | (주)한화(다이너마이트)

W_hy? 발명·발견을 내면서

'필요는 발명의 어머니' 라는 말이 있습니다. 인류의 탄생과 더불어
문명이 발달하는 과정에서 사람들은 생존에 필요한 무엇인가를 끊임없이
만들어 내고 방법을 찾았습니다.
불의 발견과 석기의 사용은 사람과 동물을 확연하게 구분짓고,
인류의 번성과 문명 발전을 이룩하는 계기를 만들었습니다.
그리하여 오늘에 이르기까지 우리 삶의 질을 높이고 윤택하게 해 주는 수많은
발명품이 등장하게 되었습니다. 그러나 많은 사람이 그것들을 단지 역사의
흐름에 따라 자연스럽게 등장한 물건이라 생각하는 경향이 있습니다.
마치 공기의 고마움을 미처 깨닫지 못하는 것처럼…….
하지만 우리가 편리하게 사용하고 있는 발명품들과 과학적 지식들은 그것을
만들고 발견한 사람들의 수고와 열정이 없었다면 존재하지 않을 것입니다.
물론 발명과 발견이 순간의 아이디어나 우연과 실수를 통해서
탄생하기도 하지만, 그보다는 그들의 끊임없는 연구와 노력을
통해 다듬어지고 만들어진 것임을 깨달아야 하겠습니다.
이 책은 한 사람 한 사람의 노력이 인류 문명의 발전에
어떤 영향을 끼쳤으며, 우리의 생활에 얼마나 많은 편리함을
선사했는지, 그들의 '위대한 업적' 을 자세히 소개합니다.
내일의 주인공인 여러분이 이 책 속의 위대한 발명가들처럼
번득이는 아이디어와 열정, 그리고 노력하는 자세를
갖는다면 우리의 미래는 더욱더 희망차고 밝을 것입니다.

Contents

●위대한 발명

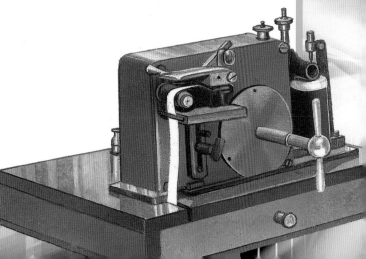

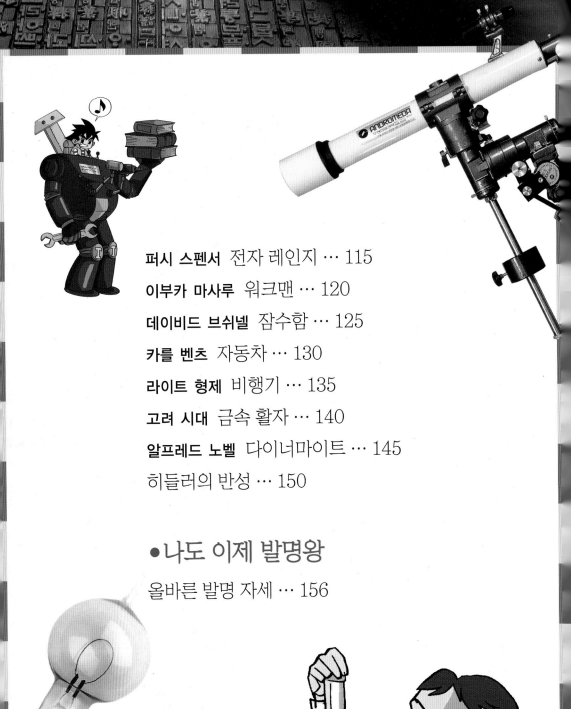

Character

꼼지

가끔 엉뚱한 짓을 하긴
하지만 정의감이 넘친다.
적극적인 자세로 발명 발견에
관심을 갖는다.

엄지

똑똑하고 호기심이 많다.
꼼지와는 둘도 없는 단짝
친구지만 가끔 꼼지를
놀리기도 한다.

어디손

세계적으로 유명한 발명가.
꼼지와 엄지에게 발명, 발견
이야기를 계획했다가
히들러의 야심을 알아채고
그를 막으러 출동한다.

타로

어디손이 발명한 최첨단
타임 머신 로봇.
초능력을 발휘하여
히들러의 경로를 파악한다.

히들러

항상 어디손에게 1등을
빼앗겨 열등감을 갖고 있다.
역사적인 발명 발견의
순간에 훼방을 놓아 그
업적을 가로채려 한다.

킹고릴라 X

히들러가 만든 타임 머신 로봇.
타로보다 힘은 세지만 영리하진
못하다. 히들러가 거듭 실패해도
끝까지 믿고 따른다.

어디손 박사, 흐흐. 그 동안 잘 있었나? 뭐 하나 알려 줄 게 있어서 이렇게 동영상 메일을 보내네.

누구지?

?!

내 뒤에 있는 로봇이 보이는가? 이건 내가 만든 인공 지능 타임 머신 로봇, 킹고릴라 X야.

조금만 더 손보면 완벽하게 될 거네.

그 때부터 아주아주 재밌는 일이 벌어질 테니 기대하게나.

개봉 박두!

자세한 얘기는 차차 하기로 하고, 그가 무슨 거대한 음모를 꾸미는 것 같으니 우선 대비를 해야겠다.

저분은 누구세요?

히들러 박사란다. 인류의 발전은 아랑곳없이 자신의 이익만을 좇는 아주 이기적인 사람이지.

또옹!

네? 그럼 저희와의 약속은 어쩌고요.

걱정 마라. 약속은 꼭 지킬 테니. 하지만 지금은 너희가 나를 좀 도와 줘야겠다.

알겠습니다.

자, 이리 와 봐라. 나의 최고 발명품 최첨단 타임 머신 로봇, '타로' 다. 어때, 멋지지 않니?

타로.

타로.

저, 저게 타임 머신?

오옷, 귀엽다!

저 작은 타로로 킹고릴라 X를 상대한다고요?

허허, 타로를 과소 평가하는군.

나도

방가.

타로, 반가워.

게다가 세계적인 발명가인 내가 만든 작품인데, 그리 호락호락하겠느냐? 힘에서는 좀 밀리겠지만 타로는 상대가 움직일 때 일으키는 전파를 잡아 내서 위치를 파악하고 추적하는 능력을 갖고 있단다.

!

아하, 그러니까 히들러 박사가 행동을 개시하면 기다렸다가 추적을 하겠다는 거네요?

빙고!

근데 한 가지 걱정은 타로는 상대가 있는 넓은 공간은 금방 알아차리면서 정작 가까이 있을 때는 헤매는 경향이 있단다.

나 찾아봐라!

어딨지?

이걸 빨리 해결해야 히들러의 음모를 막을 수 있을 텐데….

앗, 박사님! 타로에게서 이상한 신호가 나타나요!

삐빅

히들러가 움직이기 시작
했나 보다! 어서 타로에
올라타거라.

와우! 타로가
변신을 하네?

우우웅!

자, 출동
하겠습니다!

안전 벨트는
꽉 맸느냐?

네!

나
떨려.

꼼지 일행은 히들러의 음모를 막기 위해
타로의 신호를 따라 추적을 시작했다.

파슈우우

으아악~
정신을 못
차리겠어요!

고오오오~

우우웅!

무사히 도착했습니다.

으~ 머리야.

아이고~,
나의 최고
발명품 맞나?

띵~

그런데 여기는 어디냐?

1520년, 폴란드입니다.

와, 재밌다.

정말 과거로 왔어!

잠깐 얘들아, 일단 이 단추부터 몸에 달아라.

?!

?!

그 단추는 각 나라 말을 알아들을 수 있는 장치란다.

와, 신기하다.

하!

#@&$!

하 하 하!

그런데 히틀러 박사는 왜 여기로 왔을까요?

글쎄다.

뚜벅 - 뚜벅

몇 시간 후

박사님, 너무 배고파요.

그리고 곧 밤이 될 텐데 잠은 어디서 자요?

헉! 이상한 사람들이다.

글쎄다. 일단 조금만 더 가 보자.

어? 여기는 왠지 낯설지가 않군! 얘들아, 여기서 도움을 청해 보자.

12

코페르니쿠스

(1473~1543년)
폴란드의 천문학자

지동설

실례합니다. 길을 잃어서 그러는데 하룻밤 신세 좀…

아, 네! 어서 들어오세요.

저는 지금 공부중이니 이쪽에서 쉬십시오.

감사합니다.

그런데 천문학을 공부하시나 보죠?

네! 맞습니다. 눈치가 빠르시군요. 제 얘기를 해 드릴까요?

저는 어릴 적부터 하늘을 관찰하는 데 흥미가 있었습니다.

그런데 청년 시절에 도서관에서 우연히 놀랄 만한 학설을 발견했지요.

앗!

아리스타르코스라는 학자의 학설이었습니다.

태양이 태양계의 중심이다.

행성들이 태양 주위를 돌고 있다.

그의 학설은 오랜 기간 천동설에 가려 빛을 보지 못한 것이었습니다. 그래서 저는 이것을 더 연구해 보기로 했지요.

그래, 가능성 있는 얘기야. 우주의 중심이 작은 지구일 리 없어!

좀더 연구해 보자.

저는 오랜 연구 끝에 이젠 태양이 우주의 중심이라는 확신을 갖게 되었습니다.

천문학··

서… 선생님, 혹시 성함이?

아, 제 이름은

코페르니쿠스 입니다.

아, 아니, 지동설을 주장하신 그분요?

지동설? 그게 뭔데?

코페르니 쿠스…

꼴 까 닥 !

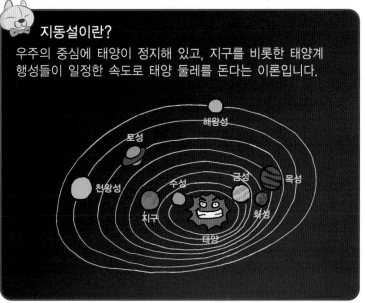

지동설이란?

우주의 중심에 태양이 정지해 있고, 지구를 비롯한 태양계 행성들이 일정한 속도로 태양 둘레를 돈다는 이론입니다.

해왕성

토성

천왕성

수성

금성

목성

지구

화성

태양

뭘 그리 쑥덕 거리십니까?

아, 아무것도 아닙니다.

코페르니쿠스는 이야기를 계속했다.

그런데 사실 얼마 전에 레티쿠스라는 젊은 학자가 찾아와서 나의 학설을 책으로 출판하자고 제의하더군요. 하지만 난 겁이 났지요.

이보게, 아무도 내 학설을 인정하지 않을 거야!

나를 종교 재판에 넘길지도 모른다고!

음!

그러나 용감한 레티쿠스는 저 대신 지동설을 알리고 희생되고 말았답니다.

아, 레티쿠스.

저는 지금 이 모든 자료를 없애고 싶은 심정이랍니다. 이것으로 인해 더 많은 사람이 희생될지도 모르거든요.

책

크하핫! 없앨 거라면 내가 가져가지!

천문학...

앗, 히, 히들러!

하하, 용케도 따라왔구먼, 어디손 박사!

안 돼!

하지만 이미 늦었어! 내가 이 학설을 발표해서 부와 명예를 누릴 테니까 구경이나 하라고!

역시 그런 속셈이었군! 하지만 역사를 거슬러 다른 사람의 업적을 가로채는 게 과연 쉽게 될까?

타로야! 준비됐지?

넷!

받아라, 킹고릴라 X!

우워어

앗, 내가 제일 좋아하는 바나나맛 배터리다!

최악

안 돼!

나? 바나나!

하하하, 다시 찾았다!

잘 했어, 타로!

아이, 좋아!

아니, 방금 무슨 일이…

아, 아무것도 아닙니다.

휴~

여하튼 이 자료는 인류에게 있어 너무나 소중한 자료입니다.

맞아요! 진실은 꼭 밝혀질 거예요!

한편

이런 바보 같으니라구! 이깟 것 때문에 일을 망쳐?

껄껄껄!

다음 날

덕분에 용기를 얻었습니다. 잘 가십시오!

안녕히 계세요!

저 자료는 1543년에 일반 사람들에게 알려지고 훗날 이탈리아의 천문학자 갈릴레이에게 큰 영향을 준단다.

정말 다행이에요!

그나저나 큰 걱정이다. 이제부터 시작인데 히들러를 얼마나 쫓아다녀야 할지….

휴~

앗, 타로가 또 반응해요.

삐빗

삐빗

히들러의 음모를 알았으니 기필코 막아야 한다! 자, 가자!

넷!

슈우우웅

갈릴레오 갈릴레이 진자의 운동

(1564~1642년)
이탈리아의 천문학자, 물리학자

이잉~

으~ 이동할 때마다 괴로워.

아이고~ 난 청룡 열차도 못 타는데.

와! 피사의 사탑과 대성당이다.

그렇다면 여긴 이탈리아?

꼭 세계 일주하는 기분이네.

1583년 이탈리아

나 대신 히들러가 너희에게 발견 발명 공부를 제대로 시켜 주는구나!

가만, 1583년이라면 갈릴레이가 '진자의 운동'을 발견할…

갈릴레이?

갈릴레이라면 이탈리아의 유명한 과학자잖아!

그분을 직접 뵐 수 있다니….

진자의 운동 이라… 음!

갈릴레이는 어느 날 우연히 피사의 대성당 천장에 달린 램프가 흔들거리는 것을 보다가 '진자의 등시성'을 발견하게 된다.

흔들 흔들
흔들 흔들

규칙적이네.

둑 웅

19

당시 의학도였던 갈릴레이는 램프의 흔들림이 규칙적인 것을 보고 환자의 맥박을 재는 데 도움이 되지 않을까 생각했다.

좀더 확실하게 실험해 봐야겠다.

탁 탁 탁

음~

붕

붕

이번엔 추의 무게와 크기, 끈 길이 등을 다양하게 해서 측정해 보자.

붕

흥분 상태

아, 아니! 진자의 끈 길이만 같으면 추의 무게나 크기는 상관 없이 같은 속도로 움직이잖아!

진폭도 상관 없고.

이렇게 '진자의 등시성'을 발견한 갈릴레이는 직접 환자의 맥박을 재 보기도 하였다.

맥박과 진자의 운동을 맞춰 보자!

또한 이 법칙을 이용하여 훗날 진자 시계의 설계도를 그려서 진자 시계의 발전에도 큰 영향을 주었다. 진자 시계는 1656년 크리스티안 호이겐스에 의해 만들어졌다.

이게 진자 시계예요.

그러고 보니 그네나 여러 놀이 기구도 진자의 운동과 관련이 있네요?

하하, 그래, 그래.

맞다, 바이킹!

이 진자의 운동은 훗날 물리학에 큰 영향을 주었단다.

와!

흠, 그렇다면 히들러 박사는 갈릴레이의 업적을 가로채서 자신의 업적으로 삼으려는 것이 틀림없어요!

오, 탐정 같은데?

앗, 그럼 지금쯤 피사의 대성당에…!

맞다. 어서 가 보자!

히들러! 당장 내려와!

앗, 어디손!

용케 알아냈군.

두둥

나는 지금 이 램프를 없앨 생각이야!

이게 없으면 '진자의 운동' 도 없지. 크크크.

팅 팅

이제 진자의 운동은 내가 발견하게 되는 거라구!

씨익~

척

그럼 구경이나 실컷 하라고.

타로야, 어서 스파이더 접착줄을!

네!

강력 스파이더 접착줄 발사!

츄아악

슈우웅

앗, 떨어진다!

퍼이잉

쩌지이익

척

촌들 촌들

아니, 이럴 수가!

타로야, 이번엔 스파이더 접착줄로 히들러 박사를 체포해라!

네, 박사님.

뭣이?

띠옹~

아이작 뉴턴

(1642~1727년)
영국의 물리학자, 수학자

만유 인력

여긴 또 어디예요?

음, 1665년 영국이구나!

휴, 쫓아 다니기도 바쁘네.

가만가만….
이 때라면?

아, 뉴턴! 이번엔 히틀러가 뉴턴을 괴롭힐 생각인가 보다.

만유 인력을 발견한 뉴턴 말씀이세요?

저런!

만유 인력의 발견은 이렇게 시작되었다. 어느 날 뉴턴은 영국 울스도프 농장에 있는 자기 집에서 산책을 하고 있었다.

와~ 날씨 좋다.

거참, 사과가 탐스럽게도 열렸네. 잠시 쉬었다 갈까?

툭

슈우우우우

어?

24

사과가 떨어졌잖아!

근데 정말 신기해!

사과는 왜 위나 옆으로는 떨어지지 않고 밑으로만 떨어지지?

그러고 보니 모든 게 떨어질 땐 아래로 떨어지잖아!

게다가 사람도 항상 땅에 붙어 있고!

깽

쿵

뉴턴은 점점 커지는 궁금증을 풀기 위해 연구했다.
그러다 하나 둘 의문을 풀기 시작했다.

이건 단순히 지구와 사과 사이에만 끌어당기는 힘이 작용하는 것이 아니라, 모든 물체 사이에서 작용한다.

이리 와!

사물

왜 끌리지?

넌 절대 나한테서 못 벗어나!

그래서 지구도 태양 주위에서 벗어나지 못하고 돌고 있는 거야!

←지구

만유 인력이란?

모든 물체 사이에 작용하는 힘을 말합니다. 따라서 두 물체의 거리가 멀어지면 끌어당기는 힘도 약해집니다. 만유 인력의 크기는 두 물체의 질량의 곱에 비례하고 물체 사이의 거리의 제곱에 반비례합니다.

박사님, 그나저나 히들러 박사를 막는 게 더 급하지 않을까요?

쿵

울스도프 농장의
뉴턴의 집으로 출발!

슈우우웅~

비이잉~

흐흐!

자네 정말 찰거머리군!
또 따라왔나?

앗!

무슨 소리! 이번만큼은 꼭
성공할 거야. 이 사과를 몽땅 따
버리면 뉴턴이 와도 땅으로 떨어질
사과가 없겠지? 그러면 내가
만유 인력을…. 하하하.

히틀러,
그만 하게.

애들아, 잠깐 타로랑
연구실에 다녀올 테니
기다리고 있어라.

네? 지금 이
상황에서요?

위잉?

금방
오마.

하하! 1초도
안 걸렸지?

헉, 정말
빠르다.

푸슈웅

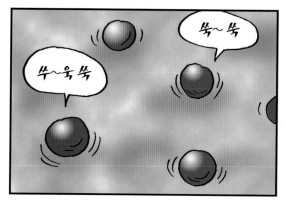

하지만 두고 봐! 난 반드시 유명한 발견, 발명을 가로채서 엄청난 부와 명예를 누릴 테니까!

가자, 킹고릴라 X!

다신 오지 마요!

피요용

만약 히틀러 박사의 방해로 만유 인력이 발견되지 못했다면 과학 문명은 어떻게 됐을까요?

한참 뒤처졌겠지. 에고, 생각만 해도 끔찍하다.

앗! 저기 뉴턴이 와요!

이제 곧 만유 인력의 탄생을 보겠는걸요!

와! 성공이다!

엇? 사과가!

툭

아, 위대한 발견을 지키고 나니 너무 뿌듯해요.

하하하.

그런 의미에서 오늘은 애플파이 먹어요.

라부아지에

(1743~1794년)
프랑스의 화학자

산소 발견

으이구, 어디손 때문에 내가 못 살아!

도대체 어디손 박사와는 어떤 관계세요?

어디손은 나의 고등학교, 대학교 동기 동창이야. 으~ 그 때부터 악연의 연속이지.

?

학창 시절, 나와 어디손은 함께 발명가의 길을 걸었단다. 하지만 나는 어디손을 따라가질 못했지.

이번 발명 대회 1등도 어디손이다!

으~

그래서 난 늘 2등이었지.

그 녀석만 없어도….

타도! 어디손!

그런데 어디손은 점점 세계적인 발명가로 이름을 떨쳐 나갔고, 난 항상 그의 그늘에 가려 이렇게 비참하게 살고 있는 거야.

당신 발명가 맞아?

뭐, 뭣이?

그래서 난 결심했다. 세계적인 발견이나 발명을 가로채서 큰 상을 받든, 돈을 벌든 해서, 어디손보다 유명해질 거라고! 이제 나를 이해하겠니? 난 반드시, 기필코 이길 거야.

킹고릴라 X!
난 다시 작전을 구상할
테니 기다려라!

박사님
파이팅!

한편

요샌 히들러 박사가 조용하시네.
편하니까 하품까지 다 나오네.

아함

꼼지야, 하품이 나오는
건 우리 몸에 산소가
부족해서 그런 거란다.

자, 이렇게
창문을 열어 놓으면
좀 나아질 게다.

산소?

근데 이렇게 눈에
보이지도 않는 산소를
누가 발견했을까?

그러게. 나도
궁금한데?

오! 그게 좋겠다. 히들러가 잠잠할 때
우리 공부를 할 겸 산소의 발견은
누가 했는지 알아보러 갈까?

좋아요!

산소는 원래 1772년 스웨덴의 셸레와 1774년 영국의
프리스틀리가 각각 발견했단다. 먼저 영국으로 가 보자.

어? 여기는
교회잖아요. 기도
하고 가게요?

아냐. 저기
보아라.

1774년 영국

어머, 프리스틀리 목사님, 안녕하세요?

음~ 제대로 찾아온 것 같구나.

네, 잘 지내시죠?

저분이 바로 산소를 발견한 분이란다!

과학자가 아닌 목사님이요?

프리스틀리 목사님은 현재 어떤 기체를 연구중에 있습니다.

타로 타로.

하하하!

스르르

프리스틀리는 양조장에 갔다가 포도주 통 안에 생긴 발효 거품을 보고 기체에 관한 연구를 시작하게 되었다.

뽀글뽀글

어, 이게 뭐지?

프리스틀리는 지금 수은을 가열하고 있단다. 아직까지 실험중이지만 저렇게 가열하면 산화수은을 얻게 된단다. 그리고 다시 산화수은을 가열하면 수은과 산소가 발생하지! 어디 성공하는지 좀더 지켜보자꾸나.

흐음!

분명 어떤 기체가 발생된 것 같은데 이게 과연 뭘까?

앗!

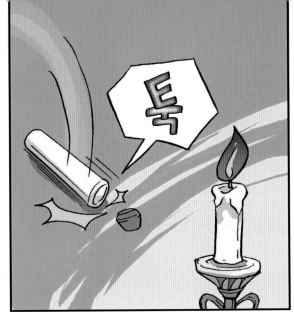

툭

파앗

아, 아니! 시험관의 뚜껑이 열린 것뿐인데 왜 초의 불꽃이 강해지지?

주 르 륵

분명 시험관에서 어떤 기체가 나온 걸 거야. 이것이 무엇인지 실험해 봐야지. 생쥐 두 마리를 가둔 후 한 마리에게만 이것을 넣어 보면?

기체를 넣어 둔 생쥐

앗! 시간이 지나니까 기체를 넣은 쥐만 살아 있구나!

난 쌩쌩해요.

오, 놀라워라. 분명 이 기체는 생명의 기체다.

짜 안

와~ 프리스틀리 목사님이 산소를 발견했다.

아직 아니야.

산소 발견을 완성시킨 사람은 프랑스의 라부아지에라고 할 수 있어.

네?

당시 프리스틀리는 산소를 발견했지만 그것이 산소라고 단정짓지는 못했단다. 기존의 '플로지스톤설'을 따랐거든.

플로지스톤설이요?

이름 모를 기체

플로지 스톤설

산소

플로지스톤설이란?

독일의 베허와 슈탈은 물질이 타는 것은 물질 속에 플로지스톤이라는 물질이 있기 때문이라고 했습니다. 그런데 이 플로지스톤이 불꽃과 함께 밖으로 빠져 나간다는 이론입니다.

내 안에 너 있다!

안녕~

플로지 스톤

물질

플로지 스톤

그래서 결국 라부아지에가 플로지스톤설이 아닌 실제적인 산소를 밝혀 냈단 말씀이시군요!

그렇지!

산소

1778년 프랑스

여튼 산소의 발견은 과학의 발전에 큰 공헌을 한 아주 중요한 발견이란다.

와, 눈에 보이지 않는 기체를 발견하다니, 정말 대단해요!

에드워드 제너

(1749~1823년)
영국의 의사

종두법

전하! 세자 저하의 병은 천연두이옵니다.

뭐, 뭣이? 천연두라고?!

천연두가 그렇게 무서운 병이었나?

그러게.

고칠 방법이 없사옵니다.

이를 어쩔고.

궁금한 건 못 참아.

맞아, 맞아. 박사님께 가자.

천연두? 그럼, 당시엔 무시무시한 병이었단다.

무시무시한 병?

그런데 왜 요즘엔 안 걸려요?

그건 에드워드 제너라는 사람이 종두법을 발견했기 때문이란다.

종두법이요?

아무리 말로 설명한들
한번 가 보는 것만 못하겠지?
어떠냐, 너희도 찬성하냐?

당근
이죠.

타로
타로.

**1788년
영국 버클리**

박사님, 저 어른과
아이의 얼굴 좀 보세요.
움푹움푹 패였어요.

아이고! 우리 아이가
천연두에 걸리다니!

지금 사방에 천연두가
기승을 부리고….

쯧쯧!

흑흑, 난 운 좋게
목숨은 건졌지만
곰보가 되었어.

온통 천연두
때문에 난리네요!

근데 종두법을
발견한 제너라는
분은 어디에
계세요?

에드워드 제너는 목사의
아들로 태어나서

의학을 공부한 의사란다.

앗! 저, 저기
저분이야.

지금부터 저분이 어떻게 종두법을 발견하는지 조용히 지켜보자꾸나!

네!

아, 정말 천연두를 예방할 수는 없단 말인가?

의사인 나도 속수무책이니, 아, 답답해!

안녕하세요, 제너 선생님!

저기, 잠깐만요!

알려 드리고 싶은 게 있어요.

네? 뭔데요?

저는 우두에 걸린 후, 천연두에 걸리지 않았답니다.

저도요.

우두?

아니, 그게 정말입니까? 우두에 걸린 후 정말 천연두에 걸리지 않았습니까?

네, 사실이에요!

제너 연구실

아이가 아픈가 봐요. 되게 심각해 보이네요.

주사 놓으려나 봐. 으, 난 주사 맞는 거 정말 싫은데….

저 애는 정원사의 아들 제임스 핍스란다. 지금 저 아이에게 우두를 전염시키려는 거란다.

우두를 맞으면 잠깐 열은 오르겠지만 크게 걱정하실 정도는 아닐 겁니다.

헉.

7주 후

이번엔 천연두를 앓고 있는 사람의 고름을 주사할 거예요. 그리고 며칠만 기다려 봅시다.

네.

으하하, 대성공이다! 천연두의 증세가 나타나지 않아!

감사합니다.

나두 기분 왕 좋다!

이젠 천연두는 꼼짝 못하겠네요.

하지만 제너의 종두법은 큰 실효를 거두지 못했다.

어떻게 믿어?

우두를 주사하다니?!

그러다 걸리면!

으~

그러다 1845년이 되어서야 본격적으로 유럽 전역에 천연두 예방 접종이 알려지게 되었다.

천연두 예방 접종 실시!

엥?

그런 게 있어?

우리 나라에는 1879년에 지석영 선생에 의해서 알려졌다.

이젠 걱정 말거라.

제너 선생님이 아니었다면 지금도 천연두 때문에 많은 사람이 목숨을 잃거나 곰보가 되었겠네요?

으~ 끔찍해!

그랬겠지. 이렇듯 한 사람의 위대한 발견이 수많은 인류의 생명과 안전을 지켜 준 것이란다.

저 결심했어요! 꼭 제너 선생님처럼 훌륭한 사람이 되고 말 거예요.

흥, 말로만!

노력하고 실천을 해야 훌륭한 사람이 되지. 만날 숙제도 안 하면서 허풍은.

하하하! 그건 엄지 말이 맞는 것 같구나!

콩

아야!

빌헬름 뢴트겐

(1845~1923년)
독일의 물리학자

X-선

어, 박사님! 여긴 1895년 독일의 뷔르츠부르크 대학이래요!

한동안 잠잠했던 히틀러가 이곳에 왔다면. 음~!

그래, 분명 뢴트겐의 X-선을 노릴 게다!

X-선이라면 뼈에 이상 있을 때 병원에서 찍는 거 말예요?

그래, 맞다.

19세기 후반, 몇몇 과학자들은 크룩스 관에서 전기를 방전시킬 때 나타나는 특이한 현상을 목격하였다.

하지만 뢴트겐만이 이 현상에 대해서 의문을 품기 시작한 것이다.

...

어느 날, 뢴트겐은 캄캄한 실험실에서 크룩스 관을 두꺼운 검은 종이로 싼 후 전류를 흘려보냈다.

삐이

*크룩스 관 : 전자의 각종 현상을 발견하기 위해 쓰는 방전관. 진공 방전은 유리관 안의 진공 정도에 따라 다르게 나타난다.

39

그런데 앞에 있는 널빤지가 밝게 빛나는 것을 발견했다.

이상하네! 크룩스 관은 두꺼운 검은 종이로 완전히 싸서 음극선이 새어 나올 리 없는데, 도대체 이 선은 뭐지?

다른 곳에서 나온 선인가?

아니야, 분명 이 두꺼운 검은 종이를 뚫고 나온 선이야.

그렇다면 분명 이 선은 다른 물질도 통과할 수 있을 거야. 어디 실험해 보자!

그 선은 놀랍게도 나무판이나 헝겊 등을 통과했다. 그러나 금속 물질은 통과하지 못했다.

그렇다면 사람도 통과할까?

아니 여보, 여기에 제 손을 대보라고요?

그래요, 여보. 아주 중요한 사진이거든.

자, 그럼 찍겠소.

예쁘게 찍어 주세요.

사람 손의 뼈가 찍히다니!

여, 여보.

끄르륵!

오! 세, 세상에!

아, 이 선의 정체가 뭘까?
그래, 일단 미지의 수를 뜻하는 X를 써서
X-선이라고 하자!

이렇게 하여 뢴트겐은 X-선에 관한 첫 발표를 하였다.
그리고 이것으로 1901년 노벨 물리학상 초대 수상자가 되었다.

이 사진이
바로 X-선으로
촬영한 사람의
손입니다.

X-선
발표회

이후 X-선은 의학 분야에 획기적인 발전을 가져왔다.
또한 방사능과 원자핵의 비밀을 캐내는 등 과학 분야와
산업 분야에도 큰 영향을 미쳤다.

여기 금이
갔네요!

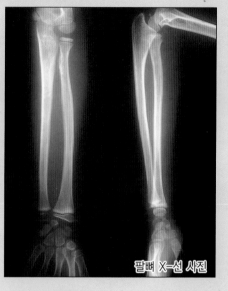

팔뼈 X-선 사진

그런데 뢴트겐이 위대한 것은
X-선을 발견한 것뿐만 아니라,

인류의 유익을 위해 특허를 받지 않고
많은 사람이 쓸 수 있게 배려했던 점이란다.

와!

히들러 박사와는
완전 딴판이네요.

앗! 이러고 있을 때가 아니다!

어서 뢴트겐 박사 실험실로 가 보자.

네!

탁 탁 탁

크하핫! 한 발 늦었구먼! 나는 내 일을 모두 끝냈지롱.

히, 히들러!

크앙

내가 이 실험실에 방해 장치를 해 두었거든. 그러니 뢴트겐이 도착하기 전까지 열심히 찾아보시게.

♬ 머리카락 보일라 꼭꼭 숨어라. ♪♩ 크하하하!

크르륵

그럼 이만 난 실례. 멀리서 구경하고 있을 테니 수고하게나.

피융

어쩌죠, 박사님?

빨리 찾아보는 수밖에.

박사님! 이 검은 종이가 이상해요.

뭔가 희끗희끗하는 거 같아요.

뭐라고?!

타로야, 이 검은 종이의 성분을 특수 렌즈로 확인해 주렴.

알겠습니다.

앗! 여기에 여러 금속 물질이 섞여 있어요!

저, 정말!

그러니까 히들러 박사는 이 검은 종이에 금속 물질을 섞어 놓아 X-선이 통과하지 못하도록 한 거군요!

그러게.

그래, 엄지 말이 맞다.

저 꼬맹이가 어찌…!

에고!

자, 뢴트겐 박사가 오기 전에 어서 제대로 된 검은 종이를 싸 놓자.

이번에도 우리가 이겼어요!

아이고 분해!

어디 두고 봐라! 난 이길 때까지 포기하지 않는다!

43

알렉산더 플레밍
(1881~1955년)
영국의 세균학자

페니실린

1928년 영국 런던

꽉꽉꽉, 이번엔 꼭 성공하리라.

푸슈웅

같은 시각 꼼지 일행

여긴 무슨 연구소 같은데요?

그러게 말이다.

이보슈!

엄마야, 깜짝야!

당신들 왜 남의 연구소를 기웃거리는 거요!

그, 그게 길을 잘못 들어서요, 헤헤.

어이, 플레밍! 돌아왔구먼. 휴가는 잘 보냈나?

아, 아리슨!

알렉산더 플레밍?

아무래도 저분이 인류 최초의 항생제인 페니실린을 발견한 분인 것 같다. 따라가 보자.

오호!

플레밍이 페니실린을 발견한 건 순전히 우연이었다.
그는 제1차 세계 대전 당시 군의관으로 일을 하였다.

참아요.

으~

상처난 곳이
감염되어 저렇게
죽어 가다니….

전쟁이 끝나자, 플레밍은 부패를
방지하는 약품을 찾기 시작했다.

찾아야 해.

그런데 플레밍은 실험은 열심한 반면, 정리 정돈은
잘 안 하는 습관이 있었다. 그러던 어느 날 휴가를
끝내고 출근한 날이었다.

배양 접시

하하,
그러지.

아휴, 더러워!
휴가도 끝났으니
연구실 청소도
좀 하게나.

특히 저 지저분한 박테리아
배양 접시 좀 깨끗이 치우라고.

아, 알았네.
오늘은 꼭
치우겠네.

어? 이 배양 접시엔
곰팡이가 피었네!

상태가 어떤지
한번 현미경으로
들여다봐야겠군.

아니, 이럴 수가!
곰팡이 주위에는
박테리아가 없잖아?!

그 후 플레밍은 곰팡이가 박테리아를 죽인다는 것을 알아
냈다. 그리고 '영국 실험 병리학 저널'에 그 내용을 자세히
실었다. 이것을 옥스퍼드 대학의 두 학자가 보았다.

앗, 교수님!

음, 아주
흥미로워.

하워드
플로리

언스트 체인

이것 좀 보게. 플레밍은 곰팡이의 정체를 밝혀
냈지만 치료 물질은 만들어 내질 못했군.

음~
그렇다면?

흥미를 느낀 그들은 긴 연구 끝에 곰팡이에게서
질병 치료 물질을 찾아냈고, 그것을 쥐한테 실험을
해 보았다.

오호라! 네 마리는 회복됐어!

찍

찍

찍

실험은 병에 걸린 여덟 마리 쥐에게 주사를
놓는 것이었다. 그런데 놀랍게도 반이 치료되었다.
그 후 그들은 이 물질을 '페니실린'으로 이름
붙였고, 페니실린은 생명을 살리는 약으로
유명해졌다. 이 공로로 세 사람은 1945년에
노벨 생리 · 의학상을 수상했다.

결국 플레밍의 지저분한
습관이 페니실린의 발견에
큰 도움이 된 거네요, 하하.

그런 셈이지.

와!
재밌어요!

누구세요?

아, 네,
청소부원
입니다.

안녕하십니까, 플레밍 선생님. 저희는 각 연구실을 돌아 다니며 쓰레기를 치우고 실험 기구를 정리해 드리고 있습니다.

아, 네.

헌데 선생님 연구실은 다른 방보다 더 지저분하군요!

헤헤, 제가 워낙 안 치우는 습관이 있어서요.

음, 바로 저거군.

일단 이 지저분한 배양 접시부터 정리해 드리겠습니다.

잠깐!

오잉?!

히들러, 멈춰!

연구실 청소도 좋지만 이 복도부터 치우는 게 어떨까요?

으악! 웬 쓰레기가 이렇게 많아?

정말 그 곳부터 청소하셔야겠네요.

그게 아닌데….

으아악! 도저히 못 참겠다!

킹고릴라 X! 저들을 혼내 줘라!

넷!

타, 타로야! 어떻게 좀 해 봐.

염려 마세요!

스파이더 접착줄 발사!

아악! 어서 피해라.

이제 그만 욕심을 버리고 정신차리세요!

어림없는 소리! 난 절대 포기 안 해!

한스 리페르셰이

(1570?~?년)
네덜란드의 안경 기술자

망원경

요샌 히들러 박사가 잠잠하시네요!

그러게 말이다. 무슨 꿍꿍이속인지 알 수가 없구나….

와!

와!

뭘 걱정하고 그래?

덕분에 야구 구경도 실컷 하고 얼마나 좋아!

하긴.

와! 경기도 이기고 선수들도 직접 보고 기분 짱이다.

직접 보긴. 망원경으로 봤으면서!

그래도 좋았어.

그러고 보니 망원경은 정말 신기해. 운동장에 있는 선수가 바로 눈앞에 있는 것처럼 보이니 말야. 근데 누가 이런 걸 만들어 냈을까?

망원경은 1608년 네덜란드 미델뷔르흐에서 어쩌고 저쩌고….

오호!

지이잉

박사님, '백문이 불여일견' 이라고 하셨죠? 직접 그 곳으로 가서 보는 게 낫지 않을까요?

하하, 꼼지가 발명에 무척 관심이 많구나. 그렇게 적극적인 생각, 아주 좋아!

자, 그럼 망원경의 역사 속으로 출발!

우우웅

1608년 네덜란드 미델뷔르흐

다 왔다!

지이이잉

바로 이 곳에서 망원경이 탄생했단다.

여긴 안경점 인데요?

쩌자 잔

51

에이, 이런 데서 망원경을…

쉿!

잠자코 지켜보거라.

이 렌즈들은 잘 보이나?

앗! 이, 이것 좀 봐!

?

저기 있는 새가 크, 크게 보여!

어디, 어디?

와, 신기하다!

아빠! 이것 좀 보세요!

헉

이 두 개의 렌즈를 겹쳐서 보니까 멀리 있는 물체가 아주 크게 보여요.

진짜예요.

정말?

아, 아니!

오목 렌즈와 볼록 렌즈를 갖다 대니 물체의 상이 이렇게 맺히는구나!

우아와! 저런 행운이 있다니!

이 우연한 발견 후에 리페르셰이는 렌즈 몇 개를 긴 통 속에 고정시켜 망원경을 만들어 냈다.

특허를 받아야지.

얼마 후 그의 망원경은 군대 최고 책임자가 보게 되었다.

이거 정말 신기하군.

이건 전쟁에서 분명 유용하게 쓰일 것 같소!

그러니 이 망원경에 대해서는 절대 비밀로 해 주시오.

네, 알겠습니다.

그러나 9개월 후, 소문을 들은 갈릴레이가 곧바로 그 원리를 이용하여 망원경을 만들어 냈다. 일 주일 후에는 리페르셰이의 망원경보다 8배 더 강력한 것을 만들어 냈다.

호~ 그래?

갈릴레이는 자신의 망원경을 천체 관측에 사용하여 목성과 목성의 4개 위성, 토성의 고리, 태양의 흑점 등 놀랄 만한 결과를 발표했다. 이후 많은 과학자에 의해 망원경은 날로 발전하였다.

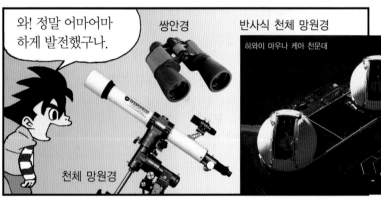

와! 정말 어마어마하게 발전했구나.

쌍안경

반사식 천체 망원경

하와이 마우나 케아 천문대

천체 망원경

어디손 연구실

이번엔 또 어떤 발명에 대해서 알아볼까?

내 기념으로 사진 찍어 줄게.

하하.

헤헤.

루이 다게르

(1789~1851년)
프랑스의 화가, 물리학자

사진기

하나, 둘, 셋!

김치~!

너희는 핸드폰을 아예 사진기로 쓰는구나!

헤헤.

보여 줘!

찍어서 바로 볼 수 있으니까 좋잖아요.
게다가 이렇게 현상할 수도 있고.
근데 사진은 참 신기한 것 같아요.

박사님, 사진 얘기 나온 김에 사진
발명에 관한 얘기도 들려주세요.

실물보다
훨 낫군.

후훗!

사진 잘 나왔지?

그렇다면 이번엔 사진이다.

앗싸!

야호!

1839년 프랑스 파리로 출발!

우 우 우 웅

아, 저기 있다!
사진 발명가 루이 다게르.

저분은 화가이면서 물리학자야.
빛, 렌즈, 화학 등에 관한 연구를
하면서 '다게레오타입'이라는
사진기를 만들었단다.

요오드를 바른
은판을 사진 원판
으로 사용하였지.

어, 가시
려나 봐요.

우리도 따라
가 보자.

음, 실험실에
갈 시간이군.

뭘 저렇게 쳐다보고
계실까? 정말 진지하다.

음, 요오드로 처리한
은판은 빛에 민감하단 말야.

그래서 희미한 사진만
만들어지니…. 더 선명
하게는 안 될까?

몇 시간째 저렇게 골똘히 생각만 하시네.
아직도 답을 알아 내지 못하셨나 봐요.

좀더 기다려
보자.

휴~, 오늘은 여기까지만 해야겠다.

끼익

아함, 피곤해.

다음 날

앗! 이럴 수가!

간밤에 캐비닛에 넣어 둔 은판이 이토록 선명해지다니!

두웅

도대체 어떻게 된 거지?

캐비닛에 어떤 비밀이 숨어 있길래!

분명 여기 있는 어떤 화학 물질이 원인일 거야. 그것이 은판에 변화를 준 거야!

화학 물질

다게르는 매일 밤 화학 물질을 하나씩 치워 가면서 은판을 넣고 실험해 보았단다.

자, 우리도 며칠 뒤로 이동하자.

하하하! 이게 원인이었군! 드디어 찾아냈다!

원인을 찾았나 봐요!

그런 것 같구나.

바로 이거야. 부서진 온도계에서 흘러나온 수은 때문이었어!

그러니까 온도계에서 나온 수은 증기가 원인이었군요?

그래, 수은 증기로 인해 수은과 은판의 화합물인 아말감이 화상을 만들어 낸 거란다.

아하!

다게르는 자신이 알아 낸 방법으로 특허를 받으려 했지만, 정부에서는 누구나 그 방법을 사용할 수 있도록 했단다.

사진 잘 나왔지?

다게르가 찍은 정물 사진

정말 우연한 발견이 위대한 발명으로 이어졌군요.

나에게는 그런 행운이 안 오나?

행운이 그냥 하루 아침에 주어지겠니? 다게르처럼 꾸준히 연구하고 고민해야 행운이 와도 알아차릴 수 있는 거야. 아무것도 안 하는 게으른 자에겐 행운도 빗겨 가는 법!

그래서 하늘은 스스로 돕는 자를 돕는다….

삐비빗

삐비빗

앗, 타로가 또 반응해요.

삐비빗

삐비빗

삐비빗

히들러가 또 움직이기 시작했나 보다!

벤저민 프랭클린

(1706~1790년)
미국의 정치가, 과학자

피뢰침

날씨가 이런데 히들러 박사는 왜 여길….

크르릉

혹시 타로에게 이상이 생겨서 잘못 온 건 아닐까요?

타로는 이상 없어.

우르릉

1752년 미국

번 쩌적

꺄악~

이러다 벼락 맞겠어요!

뭐, 벼락?

가, 가만!

뭘 찾으세요?

찾았다!

둥 실

저건 분명 벤저민 프랭클린이 띄운 연일 게다!

왜 이런 날 연을…

크릉

벤저민 프랭클린이라면 피뢰침을 발명한 분이잖아요!

정치가이면서 과학자인 프랭클린은 천동과 번개가 전기의 작용임을 확신하고, 위험한 실험을 계획하였다.

자, 자네 미쳤나?

천둥 번개 치는 날, 연에 철사를 매달고 띄우겠다니! 벼락 맞고 싶어 환장했나?

하지만 번개로 인해 건물이 파괴되고 사람들이 죽어 가고 있잖아.

번쩍

꽈광

내 생각엔 이 번개를 건물에서 무언가가 흡수해서 땅으로 흘려 보낸다면 앞으로는 번개 때문에 걱정할 필요가 없을 것 같네.

번 쩜

철심

에이, 김샜다.

땅으로 와 버렸네.

만약 내 생각대로 번개가 전기의 작용이라면 연에 달아 놓은 철사에 벼락이 흡수되어 연줄을 타고 흘러, 연줄 끝에 매단 열쇠에 불꽃이 일 것이네. 그렇다면 번개에 대한 대비책은 아주 간단해.

번 쩜

피밧

찌리릿

열쇠

전기가 통하지 않는 비단줄

그래 좋아, 위험하긴 하지만 자네 뜻대로 실험을 해 보자고!

아, 그래서 지금 저렇게 연으로 실험하고 있는 거군요!

그래, 바로 피뢰침의 탄생을 앞둔 실험이란다.

우르릉

우르릉

근데 히들러 박사는 어디에 있을까요?

혹시 연에 이상 있는 건 아니겠지?

흠.

앗! 연줄에 웬 이상한 곤충이 붙어서 연줄을 갉아먹고 있어요.

사각

사각

어디, 이리 저 봐라.

저건 히들러가 만든 소형 로봇일 게야! 틀림없어!

그렇다면 이 근처에서 조종하고 있을 텐데.

박사님! 저, 저쪽에….

크크크~

무선으로 조종하고 있어요!

타로야! 어서 방해 전파를 쏘거라!

네!

삐요오오

오잉? 갑자기 왜 이러지?

고장났나? 이런 낭패가…

?!

엥?

타닥!

으앙! 내 메뚜기 로봇이 떨어진다.

피요오옹

어떻게 된 거지?

와하하! 성공이다!

히들러 박사는 우리가 방해 전파 쏜 걸 모르나 봐.

타로야, 수고했다.

타로, 타로!

번쩌적

어이쿠.

으악!

찍

찌지직

앗, 불꽃이 일었어.

하~ 성공이야.

그렇다면 전기가 잘 통하는 구리로 피뢰침을 만들어 달면 되는 거야!

에잇, 이런 결정적일 때 고장나다니! 나는 왜 이렇게 되는 일이 없지?

참 대단해요.

정말 프랭클린은 용기 있는 분 같아요!

하하.

휴, 정말 짜릿했다.

이크!

우리도 벼락 맞기 전에 빨리 돌아가야겠어요.

Let's go home!

안토니오 무치

(1808~1889년)
이탈리아계 미국인, 엔지니어

전화

벨이야!

아니야!

벨이라니까!

아니라니깨!

어디손
연구실

벨이 아니면
누군데?

아, 안토니오 뭐라고
하던데…. 뭐더라!

뭣 때문에 그리
소란스러우냐?

아, 박사님!

박사님, 전화를 제일
먼저 발명한 사람은
벨이 맞죠?

아니죠? 그 전에
먼저 발명한 사람이
있죠?

하~, 너희 전화의 진짜 발명가를
두고 논쟁하고 있었구나!

네.

하긴 꼼지 말대로 그 동안은 전화 발명가를 알렉산더 그레이엄 벨 이라고 배운 게 사실이지!

거 봐!

하지만 2002년 미국 의회에서 안토니오 무치를 전화의 진짜 발명가라고 인정했단다.

내 말이 맞잖아!

어? 어떻게 된 거지!

하하, 못 믿겠다면 또 가 봐야지 별수 있냐!

가서 누가 맞는지 확인해 볼까?

앗싸!

오! 저 사람이 안토니오 무치인가 보죠?

그래.

근데 뭘 하고 있는 거예요?

무치는 이탈리아인이지만 1835년에 쿠바로 이주하였다. 그 후 금속 도금 공장을 차렸고, 간혹 병든 사람을 전기로 치료하는 실험을 하기도 하였다.

금속 도금 공장

편두통이 심하시다고요? 자, 그럼 이 금속판을 입에 넣으세요.

전기 고문은 아니겠죠?

걱정 마세요. 일단 내 입에도 이렇게 금속판을 넣을 겁니다.

그리고 전기의 세기를 조절하겠습니다.

약간의 전류가 흐르죠?

네!

위이잉~

지직

지직

아~악!

찌리릿

엇?

아악!

아, 아니 이게 어찌 된 일이지? 순간적으로 환자의 소리가 입을 통해 내 귀에 들리다니!

아, 아!

아~

낮의 일은 분명 놀라운 일이다.

뭘 열심히 만드시네요.

자, 완성이다! 이건 말을 전하는 기계야!

무치는 많은 실험 끝에 1860년경에 전화를 만들어 냈다.

서부 유니언 전신 회사

무치 씨, 이게 소리를 전달할 수 있는 기계라고요?

네! 제가 특허 낼 돈이 없어서 그러니, 이 회사에서 함께 개발해 주셨으면 합니다.

아, 이제 무치에 의해서 전화가 발명되겠군요!

그런데 왜 벨이 전화를 발명한 걸로 되었지?

역사는 엄지의 생각대로 되지 않았단다.

서부 유니언 전신 회사는 무치의 모델과 설계도를 잃어버렸다. 그리고는 1876년 벨과 제품 개발을 의논하여, 전화를 만들어 냈다.

Hi~

알렉산더 그레이엄 벨

헉, 아니? 이럴 수가!

내 발명품이 어째서 벨이 만든 걸로 나오지?

알렉산더 그레이엄 벨
전화기 발명

어머, 어머 너무 억울하겠다!

으아악! 이건 말도 안 돼!

무치는 자기의 권리를 주장했지만, 벨이 유능한 변호사를 고용하여 대응하는 바람에 결국 법정 싸움에서 패하고 말았다.

흑, 돈 없는 내가 졌다.

그 후 무치는 쓸쓸히 죽었고 그의 주장도 잊혀져 갔지.

그런데 2002년에 미국 의회에서 진실을 밝히고 전화 발명가로 무치를 인정한 거군요!

아~!

아, 정말 다행이다!

잉~ 나는 왠지 배신당한 느낌이다.

어쨌든 진실은 반드시 밝혀지는군요!

하하, 그럼. 진실은 숨길 수 없는 법이지.

전 타로를 볼 때마다 박사님은
타고난 천재 같다는 생각이 들어요.

타로, 타로!

타고난 천재?!

어허, 넌 이 말을 모르느냐?
'천재는 1퍼센트의 영감과 99퍼센트의
노력으로 이루어진다' 는 말!

어디서 들어 본 것
같긴 한데…. 누가
한 말이지?

이그!
발명왕 에디슨이
한 말이잖아!

에디슨은 많은 사람이 천재라고 치켜세우지만,
그의 연구 모습을 보았더라면 타고난 천재보다는
진정한 노력가라고 했을 거다.

박사님! 에디슨 박사를
가까이서 보고 싶어요.
만나러 가요!

야호!
신난다!

그래,
가자.

이해가 되는가?

그, 글쎄요. 잘 모르겠는데요.

어떻게 저런 생각을 할 수가 있죠?

정말 대단하시다!

천재는 다른가?

에디슨 박사는 잠도 안 자는 것 같아.

화장실도 안 가는 것 같고.

한번 연구에 몰두하면 저렇듯 열심이란다.

와~ 정말 대단한 노력가다!

1877년 12월 6일

오호~ 이게 그 소리를 낸다는 기계인가?

북적 북적

웅성 웅성

자, 그럼 시작 하겠습니다.

아, 긴장된다.

메리는 작은 양을 가지고 있다.

돌 돌 돌

돌
돌
돌

두 둥

메리는 작은…
양을… 가지고…
있다.

우아왓! 저, 정말 에디슨의
목소리가 흘러나왔어!

콰 콰 쾅

기계에 달린 마이크에 대고 소리를 내면서 석박(납과 주석의 합금을 종이처럼 얇게
늘인 것)을 입힌 원통을 돌리면, 소리가 바늘을 통해 석박에 홈을 내며 기록된다.
다시 되돌리면 소리가 재생된다.

에디슨의 축음기(틴호일)

와~ 성공이다!

하하하!

와!

와!

드디어 최초로
소리를 저장한 거야.

그런데 왠지 어설퍼
보여. 모양도 그렇고.

그러게 말야.

73

에디슨의 처음 기계는 1분 정도만 녹음되고 재생할 수 있었다. 게다가 석박이 빨리 닳는 단점이 있었다. 이것을 보완한 사람은 에밀 베를리너(1851~1929년)였다.

흑흑, 다른 사람이라도 꼭 성공하기를….

1887년, 에밀 베를리너는 에디슨의 원통 대신 플라스틱 원판을 사용했다. 바로 레코드 판이란다.

레코드 판

이로 인해 녹음도 오래 할 수 있었고, 복제도 무한정으로 하게 되었지. 덕분에 우리가 유명한 연주자들의 음악을 쉽게 들을 수 있게 된 거란다.

이 레코드 판은 요즘 사용하는 시디(CD)가 나오기 전까지 무려 100여 년이나 사용되었다.

형님.

오냐, 에헴!

시디

레코드 판

하여튼 에디슨 박사의 발명이 있었기에 가능했던 거네요!

그렇지!

이왕 에디슨 박사의 발명을 견학 왔으니까

또다른 발명품 '전구' 도 살펴 보자꾸나!

와, 좋아요!

 토머스 에디슨
(1847~1931년)
미국의 발명가

전구

아니, 누가 이런 괴소문을? 만약 이 소문이 에디슨 박사에게 들어가면 아무래도 실망하실 텐데….

이상하다. 역사적으로 이런 일은 없었는데….

호, 혹시 히들러 박사?!

하지만 타로에게서 아무 반응이 없잖아요?

?!

얘기했잖아. 타로에게는 한계가 있다고. 히들러가 먼저 시간 여행을 할 경우에는 정확히 알아 낼 수 있지만 히들러와 같은 공간으로 시간 여행을 할 경우엔 못 찾는 경우가 있다고.

두

웅

아, 그럼 이제 어쩌죠?

잘못되면 큰일인데.

일단 에디슨 박사에게 가 보자! 현재 어떤 상황인지!

네, 빨리 가요.

여보게 에디슨! 자네 언제까지 이 실험에 매달릴 텐가. 실패만 하는데 그만 포기할 때도 됐잖아?

그, 그게 무슨 소린가?

벌써 만 번 가까이나 실패 하고 있잖아!

포기할 줄 아는 것도 용기야!

이보게 친구! 나는 그 동안 해 왔던 실험들을 실패라고 생각지 않는다네.

실패가 아니면?

나는 단지 제대로 작동하지 않는 방법을 알아 낸 것뿐이야.

그것도 만 가지나 말이야!

고집 불통 이군! 어디 맘 대로 하게나!

근데 지금 사람들이 뭐라고 하는 줄 아나? 엉터리 에디슨이라고 부르고 있다고!

어머~ 어떻게 해!

…

포기하면 안 되는 데….

크하하! 우리가 낸 소문이 먹히고 있구나.
이 정도면 천하의 에디슨도 별수 없겠지?

에디슨은
실패자!

에디슨은
엉터리!

에디슨의 집중력을 떨어뜨려 발명을
못하게 하려는 나의 작전이 어떠냐!

짱입니다요!

그럼 슬슬 실패의
현장으로 가 볼까나?

고오
오

네!

사람들이 뭐라 하든 난
계속할 거야. 분명 쉽게
끊어지지 않는 필라멘트
재료가 있을 텐데….

뭘까?

응?!

이, 이건 검댕과 끈적한 타르로
만든 탄소 조각!

두
웅

호, 혹시
이것은 어떨까?

와하하, 필라멘트가 끊어지지 않았어.

에디슨의 전구

이보게 친구, 그 동안 내가 자네에게 말실수했던 걸 용서하게!

하하, 아닐세. 전에도 말했듯이 난 실패라고 생각지 않았기에 아무렇지도 않았다네!

자네 볼 면목이 없네….

와~ 역시 발명왕 에디슨 이야!

저 열정과 노력, 포기하지 않는 신념, 정말 본받을 만해.

아니, 아무리 에디슨이라지만 어떻게 저럴 수 있지? 으앙~!

박사님도 에디슨처럼 포기하면 안 돼요!

그럼, 절대 포기 안 해. 나의 계획이 성공하는 그 날까지 난 도전한다!

굴리엘모 마르코니　무선 통신

(1874~1937년)
이탈리아의 발명가

음, 마르코니의
무선 통신이라~!

이거야말로 금세기
최고의 발명이지!

이걸 가로채기만
한다면?

으흐흐.

**1901년
영국**

음, 히틀러가 이 곳에 온
이유는 마르코니의 무선
통신과 연관이 있을 게다.

무선 통신이요?

무선 통신이라면 핸드폰이나
라디오같이 전파를 이용하는
것을 말씀하시는 거죠?

그렇지.

마르코니는 1895년부터
형 알폰소와 함께 무선
통신 실험을 하였다.

전파를
받으면 흰
손수건을
흔들게!

OK!

과연 성공할 수
있을까? 꼭 성공
해야 되는데.

타딱

마르코니,
여길 봐!

앗!
성공이다.

마르코니의
무선 통신기

마르코니는 이것을 계기로 통신 방법을 획기적으로
바꿀 수 있다는 자신감을 얻어 이탈리아의 우체국과
접촉을 시도했지만 퇴짜를 맞고 실의에 빠졌다.

관심 없수다!

어머니의 권유로 영국으로 온 마르코니는
사촌의 소개로 영국 우체국의 기술 책임자인
윌리엄 프리스를 만났다.

마르코니, 영국에 있는 네 사촌
한테 가거라. 널 도와 줄 게다.

그의 도움으로 마르코니의 전파는 런던 전역에 퍼지게
되었다. 이어 그는 대서양 건너로 전파를 보낼 계획을 세웠다.

캐나다까지?
그게 말이나 돼요!

지구가 둥근데 전파를 보내
봤자 몇 킬로미터나 가겠소?

• • •

어, 정말
그렇겠네!

박사님, 전파가
휠 수 있나요?

휘어진
전파

전파는 휘지 않지만 전리층이 있기 때문에 불가능한 일은 아니지.

전리층은 대기의 맨꼭대기에 있는 공기의 층을 말한다. 이 층이 직선으로 뻗어 나가는 전파를 반사시키기 때문에 원거리 무선 통신이 가능한 것이다. 이 전리층의 높이가 달라지면 반사하는 거리도 달라진다.

전리층

송신

수신

그렇다면 마르코니가 이러한 사실을 알고 있었나요?

마르코니는 이런 사실을 몰랐다. 하지만 그는 굴하지 않고 투자자들을 설득해 엄청난 돈을 들여 그 모험적인 계획을 실행에 옮겼다. 드디어 1901년 12월 12일, 마르코니의 실험은 성공을 거두었다.

영국의 남쪽에 있는 콘월에서 캐나다의 뉴펀들랜드까지 대서양 건너로 전파를 송신하는 데 성공한 것이다.

와!

와!

아참, 히틀러! 히틀러는 아마 이 대서양 실험을 방해할 것 같구나!

히틀러를 못 막으면 인류는 통신 기술을 갖지 못할지도 모른다.

음, 그렇다면 어떤 방법으로….

음….

맞아, 바로 그거야!

대서양 어딘가에서 방해 전파를 쏠 게 틀림없어.

내 예상엔 영국과 캐나다 중간 어디쯤에서 전파를 방해할 것 같구나.

앗, 박사님! 타로의 레이더에 대서양 한가운데에서 배 한 척이 잡혀요.

어서 위치 추적해!

삐

저기 있어요.

조심해서 내려가 보자!

두

앙

아~ 작전 개시까지 시간이 남았으니 잠이나 자 둬야겠다.

히, 히들러 박사.

아함!

와~ 금방 잠이 드네.

분명 어떤 방해 장치가 있을 텐데….

드렁

앗, 이거다!

아함, 잘 잤다. 이제 슬슬 시작해 볼까?

깜빡! 깜빡!

자, 킹고릴라 X! 방해 전파를 발사해라!

마르코니여, 미안~

척

오잉?

펄럭

이, 이게 뭐야?

마르코니 무선 통신 대서양 실험 성공 축하!! - 어디손 박사

으아악! 언제 어디손이 왔다간 거야?

내가 정말 못 살아!

하하, 마르코니의 무선 통신 대서양 실험도 무사히 성공했어요!

하하!

와!

좋았어!

존 로지 베어드

(1888~1946년)
영국 스코틀랜드의 발명가

텔레비전

꼼지야, 뭐 하니?

킥킥.

아휴~, 넌 시간만 나면 텔레비전을 보냐?

이, 왜 때려?

난 연구중이었다고. 이런 작은 상자에서 어떻게 사람의 모습이 나오는가 하고 말야.

그러게. 네 말을 듣고 보니 되게 신기하다!

하하, 이젠 궁금한 건 잠시도 못 참는구나!

시간 여행 떠나요.

옛날 사람들은 텔레비전 안에 사람이 들어 있다고 생각했다.

저 속에 사람이 어떻게 들어가지?

그런데 이를 어쩌니? 내가 너무 바빠서 함께 시간 여행하기가 곤란한데….

아이~!

그럼 이번 여행은 타로랑 다녀오렴. 그다지 위험할 것 같지 않으니!

좋아요!

나두 좋아!

1926년 영국

자, 이제 텔레비전 전원을 켜겠습니다.

쿡

치이익

오오옷!

저 사람이 텔레비전을 발명한 베어드구나.

웅성웅성

맞아요. 하지만 베어드는 우여곡절이 많은 불행한 발명가였어요.

왜? 텔레비전을 발명했으니 큰 돈도 벌고 이름도 떨쳤을 텐데….

베어드는 스코틀랜드의 글래스고 대학에 입학하여 전기 공학을 공부했다.

전기를 이용해 영상을 내보내는 기계를 만들어 볼까?

전기공학

그러나 그가 대학을 졸업하는 해에 제1차 세계 대전이 터졌다.

으아악!

으~ 일단 생계 유지부터 해야겠구나!

생계를 위해 무리하게 일을 한 베어드는 건강이 나빠졌다. 그리하여 바닷가 작은 마을에서 휴양하기 시작했다.

휴~, 내 꼴이 이게 뭐람.

계속 이렇게 살 수는 없어! 텔레비전을 다시 만들겠어! 만들다 죽는 한이 있더라도!

이 때부터 베어드는 다시 텔레비전 발명에 온 힘을 쏟았다. 그가 처음 만든 텔레비전은 커다란 나무통 속에 들어 있는 선으로 연결된 원반들이 영상을 만들어 내는 방식이었다.

베어드의 텔레비전

작고 간단하게 만들어진 초창기 텔레비전. 위의 네모진 상자 안에 스크린이 들어 있다.

후에 그의 연구는 더욱 발전하였고, 1929년 BBC(영국 방송 공사)가 텔레비전 프로그램을 내보내는 데 성공하였다.

하하~ 성공이 바로 눈앞이다!

하지만 그의 성공은 오래 가지 않았다.

1937년 BBC 방송국

베어드 씨, 이런 말씀 드리기 뭐 하지만….

무슨?

사실 베어드 씨가 만든 텔레비전으로는 질 좋은 영상을 만들기가 어렵습니다.

넷?

아시겠지만 최근에 전자 텔리비전이 개발되었습니다.

저희 방송사에서도 그 텔레비전을 사용해야 할 것 같습니다.

크흠.

결국 베어드의 사업은 실패하고 말았다.

아~ 그 동안 나의 노력이….

그리고 극도로 건강이 악화되어 베어드는 1946년에 세상을 떠나고 말았답니다.

으앙, 너무 안됐어.

에고….

하지만 오늘날 텔레비전 방송은 베어드의 열정이 있었기에 가능한 것이었다.

당시엔 너무 불행했고 알아 주는 사람도 없었지만

지금은 텔레비전의 창시자로 인정해 주니 그나마 다행이다.

그러게.

맞아요!

그래, 잘 다녀들 왔느냐!

네, 박사님!

타로 타로.

앞으로는 텔레비전을 볼 때마다 베어드 아저씨를 생각하게 될 것 같아요.

그런 의미에서 오늘은 텔레비전 만 봐야겠다.

하하~ 녀석.

텔레비전 방송의 역사

tele는 그리스어로 '멀리', vision은 라틴어로 '본다'는 뜻입니다. 첫 정기 방송은 1935년 독일에서 시작하였고, 이후 영국, 미국에서도 방송을 하였습니다. 우리 나라는 1956년 5월 12일, HLKZ-TV가 상업 방송을 시작한 것이 최초입니다. 그러다 1961년 12월 31일 국영 방송인 KBS-TV(서울텔레비전방송국)가 본격적인 텔레비전 방송 시대를 열었습니다. 컬러 텔레비전은 1954년 미국에서 첫 출시되었고, 우리 나라에서는 1980년 12월에 본격적으로 컬러 텔레비전 방송이 시작되었습니다.

흑백 텔레비전 방송 당시 녹화 장면

팀 버너스 리·마크 안드레센

(1955년~　)　　　(1971년~　)
영국의 프로그래머　　미국의 프로그래머

인터넷

엄지야, 나 꼼진데 지금 인터넷에서 자료를 찾아야 하는데 인터넷이 안 되거든. 너희 집에 가도 되니?

응.

하, 인터넷이 되니까 이렇게 속이 시원한걸. 안 되니까 너무 답답하더라.

그러니 인터넷이 없던 시절엔 얼마나 불편했을까?

그러게.

정보 하나를 찾기 위해 도서관이든 어디든 돌아 다녀야 했겠지?

근데 인터넷을 편리하게 사용하게 만든 분이 누군지 궁금해지는데, 너는?

나도 그래. 근데 박사님이 좀 바쁘신 것 같던데….

너무 늦게 오면 안 된다.

네, 걱정 마세요!

여기는 팀 버너스 리라는 컴퓨터 프로그래머가 다니는 '선'이라는 컴퓨터 회사예요.

1976년 스위스

연구소가 상당히 많구나.

이 당시 선의 컴퓨터들은 인터넷으로 연결되어 있긴 했지만 오늘날과 같은 개념은 아니었다.

앗! 저 사람이 팀 버너스 리예요. 웹 창시자이지요.

휴~, 찾아야 할 정보가 여기저기에 흩어져 있으니 참 힘드네.

일일이 컴퓨터를 연결하느라 시간도 너무 오래 걸리고. 에휴!

에구에구, 힘들어. 대체 몇 시간이 걸린 거야? 헉!

안 되겠다! 여기저기에 흩어진 정보를 한 화면에 가져오는 프로그램을 만들어야겠어!

이보게들, 이리 와 보게!

재미있는 걸 보여 줄게!

이 프로그램은 '무엇이든 물어 보세요'라는 프로그램이야.

여기서 사과라는 단어를 클릭하면 그와 관련된

클릭

다른 페이지가 나오게 돼.

어떤가? 실용적이지 않겠나? 궁금한 건 무엇이든 찾을 수 있고 말이야!

오호! 놀라운걸.

이리하여 1989년, 팀 버너스 리는 동료들과 함께 정보를 표준 방법으로 저장하는 새로운 언어 HTML을 만들어 냈다. 그들은 이 시스템을 '월드 와이드 웹(World Wide Web)'이라고 이름 붙였다.

그럼 저분이 오늘날 우리가 사용하는 인터넷을 만든 분이구나!

하하, 한 사람 더 있어요.

1993년 미국 국립 슈퍼 컴퓨터 응용 센터

바로 미국의 마크 안드레센이라는 사람이에요.

여기가 바로 그가 다니는 회사고요.

사실 팀 버너스 리가 만든 프로그램은 몇몇 과학자들 사이에서만 사용되었다.

하지만 안드레센이 '모자이크'란 프로그램을 만들어 각 회사나 가정에서 쓰는 개인 컴퓨터에서도 정보를 교환할 수 있도록 했다. 이로 인해 인터넷은 놀라운 속도로 발전해 갔다.

정보 교환

1993년에는 50대의 서버가 정보를 제공했는데, 다음 해엔 만 대가 되었고, 2004년 무렵엔 약 3천5백만 대가 정보를 제공하고 있다. 말 그대로 컴퓨터 네트워크는 전 지구를 거미줄처럼 연결하며 하루가 다르게 빠르게 발전하고 있다.

인터넷 용어 정리

인터넷 : 세계 최대 규모의 컴퓨터 통신망으로, 전세계에 있는 다양한 기종의 컴퓨터 사용자들이 통일된 프로토콜을 사용해서 자유롭게 통신을 주고받을 수 있도록 고안된 것

프로토콜 : 컴퓨터끼리 정보를 교환할 때, 이를 원활하게 하기 위해 정해 놓은 통신에 관한 여러 가지 규칙

월드와이드웹 : 하이퍼텍스트를 기반으로 이루어져 있고, 인터넷상에 존재하는 문서나 그림, 동영상 등의 각종 자료들을 인터넷 주소(URL)를 이용해 하나의 문서 형태로 통합 관리해 주어 사용자는 쉽고 편리하게 원하는 정보에 접근할 수 있다.

하이퍼텍스트 : 특정 단어나 그림 등을 다른 정보 페이지에 연결해 놓아, 그 단어나 그림을 클릭함으로써 그때그 때 원하는 내용을 볼 수 있도록 한 것

HTML : 하이퍼텍스트 문서를 만들기 위하여 사용되는 기본 언어, 즉 문서의 글자 크기, 색깔, 모양 등을 정해 주는 명령어

이로써 우리가 전세계에 흩어져 있는 사진, 음악, 글 등의 정보를 손쉽게 얻을 수 있게 된 것이다.

와!

그러니까 방에 슈퍼 울트라 도서관을 하나씩 두고 있는 것과 같네!

쫘아악

그런 셈이지요. 하지만 실제 도서관 보다 훨씬 더 편리해요.

헤 헤.

가볍게 마우스로 클릭만 하면 원하는 정보를 마음껏 얻을 수 있다. 가령 말만 하면 뭐든 나오는 도깨비 방망이처럼.

만화 나와라! 뚝딱!

똥

정말 한두 사람의 발명과 발견이 인류의 문화와 생활을 이렇게 바꾸다니 정말 굉장해!

인터넷

오늘도 타로 덕분에 좋은 공부를 했네. 무지 고마워.

오, 너무 귀여워!

타로 타로.

피터 듀란드

영국의 기술자

통조림

킹고릴라 X! 이번엔 어떤 발명품을 가로챌까? 이번엔 물러서지 않겠다!

어떤 발명품이든 성공이나 해 봐요. 만날 실패만 하면서….

그렇다고 그렇게 얘기하면 내가 화나지, 인마!

우선 밥이나 먹고 생각하자!

왜 때려요?

엥? 반찬이 없네.

에휴~, 반찬이라곤 매번 통조림뿐이니.

토, 통조림?

오호라. 그렇지!

통조림이야말로 아주 간단하고 단순한 발명 아닌가?

이번엔 통조림이다. 킹고릴라 X.

마음 대로 해요!

1810년 영국

아, 배고파. 밥 먹고 합시다!

꼬르륵

95

아주머니, 병조림 하나 주세요.

오늘도 병조림 인가?

항상 병조림을 사 먹긴 하는데 병조림은 문제가 너무 많아.

코르크 병마개를 양초로 밀봉하느라 양초가 병 속으로 흘러들어가기도 하고

게다가 미끌 거려 놓치면?

엇?!

미끌

쨍그랑

늘 이런 식으로 깨지고 말아.

아이고, 아까워라~

자... 잠깐!

병말고 저 깡통을
사용하면 어떨까?

햐~ 이거 정말 끝내 주네.
찬 음식을 데우는 데도
효과적이고.

가만! 그렇다면 굳이
단점 많은 병을 사용할
필요가 없잖아.

그래, 이번 기회에 깡통
통조림을 개발해 보는
거야. 뚜껑도 만들고.

끼
이
익

킥킥킥. 자, 이제 듀란드가
사용한 깡통과 이 녹슨 깡통을
바꿔치기만 하면 되는 거야!

듀란드는 아침에 깨어나 분명
음식물이 든 깡통이 녹슨 것을 보면
연구를 포기할 거야!

잘 자는군!

쉿!

이...
이럴 수가!

주석은 녹이 슬지 않는데
밤새 녹이 슬다니….
어찌 된 거지?

일단 다시
해 보자.

흐흐, 아무리 연구해 보라지.
내가 계속 녹슨 깡통으로
바꿔 놓을 텐데 과연 될까?

그만
포기하시지,
듀란드!

끼익
끼익

박사님이나
그만하시죠!

아, 아니~ 여긴 또
어떻게 알고?

우리는 박사님이 어디로
가는지 훤히 알아요!

엥?

에잇!

윽!

탓

앗!

깡
깡
깡

이크!

앗? 이게 무슨 소리지?

뻐드득

혹시 도, 도둑? 도둑이야!

웬 놈이냐?

앗!

도, 도망가자!

앗!

다음 날

아~ 이번엔 녹슬지 않았어! 그럼 그렇지, 주석이 쉽게 녹슬 리 있나!

성공이야!

이후 듀란드는 통조림 특허를 얻었고, 통조림은 1830년이 되어서야 통조림 공장을 통해 전세계에 보급되었단다.

그런 의미로 오늘 저녁은 참치 통조림 먹어요.

으이구~ 또 실패하다니.

으앙!!

이젠 다른 것보다 어디손 박사부터 따돌릴 생각을 하세요.

허버트 세실 부스

(1871~1955년)
영국의 기술자

진공 청소기

♬♪

?!

엄마, 진공 청소기로
청소하면 편해요?

당연하지.

위잉

녀석, 생뚱맞긴. 빗자루로
청소할 땐 힘도 들고, 먼지
도 잘 쓸리지 않았어.

오히려 먼지만 더
날렸지. 특히 카펫
청소는 더 힘들었고.

에휴~

그런데 이젠 진공 청소기 덕분에
얼마나 편하게 청소를 할 수 있는지
몰라. 왜 네가 대신 해 주려고?

후훗, 그건 아니고
진공 청소기를 만든 분이
새삼 고맙게 느껴져서요.

울 엄마를
편하게 해
주셨으니까.

그러게
말이다.

그래서 어떤 분인지
만나 보고 싶다고?
꼼지가 효자구나.

히히, 쑥스럽게…

1901년 영국

저분이에요?

그래, 바로 저분이야. 허버트 세실 부스.

그는 진공 청소기뿐 아니라 전함, 다리, 페리휠 등을 설계한 기술자이다.

한마디로 다재다능하죠!

그런데 지금 어디 가시나 봐요?

아마 기계 전시회를 보러 가는 길일 게다.

자, 이것은 기차의 좌석에 앉은 먼지를 불어서 날려 버리는 기계입니다.

?!

그럼 이제부터 시범을 보여 드리겠습니다.

꾹

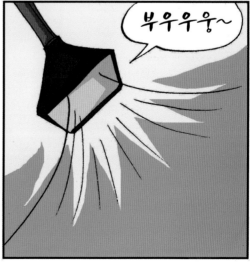

부우우웅~

아이고, 이 사람아. 먼지가 얼굴로 날리지 않는가?

아~ 죄, 죄송 합니다.

이보시오. 헌데 왜 먼지를 불어서 날리는 게요? 빨아들이는 게 더욱 효과적일 것 같은데….

?!

아, 그런 건 여기 없습니다.

있어도 작동할 리가 없어요.

그래요?

내 잠시 그리로 올라가겠소!

웅성

웅성

?!

뭐 하시는 겁니까?

풀썩

흐음~

그는 손수건을 대고 먼지를 빨아들였다.

먼지 마시는 게 취미인가?

콜록 콜록

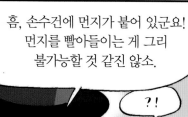

흠, 손수건에 먼지가 붙어 있군요! 먼지를 빨아들이는 게 그리 불가능할 것 같진 않소.

?!

몇 달 후

성공이다!

이 청소기의 원리는 청소기 안의 강력한 팬으로 진공 상태를 만들어 먼지를 빨아들이고 필터에서 걸러 내는 것이지.

근데 박사님! 무슨 진공 청소기가 저렇게 커요? 저래서는 집안에서 사용하기가 힘들겠는데요?

그래서 그는 진공 청소기를 만들어 파는 대신 청소 서비스를 제공했다.

여기요!

곧 갑니다.

기계는 밖에 세워 두고 창문을 통해 청소기의 호스를 안으로 들여보내 카펫의 먼지를 빨아들였다.

부우웅

그런데 청소기의 소음이 너무 커서 지나가던 말이 놀라 달아날 정도였다. 그래서 당시엔 별로 인기가 없었다.

우우우우웅

이히힝~

그럼 오늘날 사용하고 있는 소형 진공 청소기는 언제 나온 거예요?

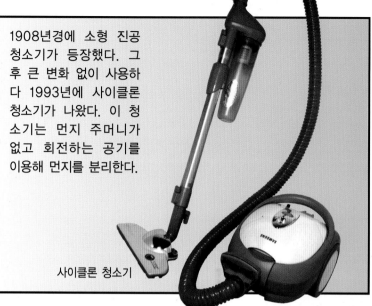

1908년경에 소형 진공 청소기가 등장했다. 그 후 큰 변화 없이 사용하다 1993년에 사이클론 청소기가 나왔다. 이 청소기는 먼지 주머니가 없고 회전하는 공기를 이용해 먼지를 분리한다.

사이클론 청소기

이이잉~

이런 청소기는 먼지가 채워져도 입구가 막히는 일이 없어 빨아들이는 것을 그대로 유지할 수 있겠네요?

빙고!

먼지

꼼지 때문에 특별히 다녀온 여행인데 뭐 느낀 거 없니?

위대한 발명가들 때문에 정말 편리하게 살 수 있어 감사할 뿐이에요.

허버트 세실 부스 님! 힘든 집 안 청소로부터 울 엄마를 편하게 해 주셔서 감사해요!

별말씀을~

휴그 무어

미국의 발명가

종이컵

으~ 이거 미치겠군. 노벨상은커녕 돈도 못 벌고 있으니….

먹고 싶은 것도 못 먹고 발명도 제대로 할 수가 없잖아.

이게 다 어디손 때문이야!

안 되겠다. 이젠 노벨상보다 돈이 되는 발명품을 가로 채야겠다!

가만가만, 돈이 되는 발명품이라면, 흠…. 그래, 바로 이거야! 후훗!

1907년 미국

히들러가 여기로 온 이유를 알겠구나. 종이컵 발명과 관련이 있어.

종이컵요?

형, 잘 있었어?

어, 왔니? 그래 대학 생활은 어때?

휴그 무어

좋아, 재밌어. 근데 그게 뭐야?

아, 이거?

내가 새롭게 발명한 생수 자동 판매기야. 동전을 넣고 스위치를 누르면 자기로 된 컵이 나오고 생수가 담기게 되지.

통

자기 컵

?

휴그 무어의 형도 발명가였군요?

당시엔 종이컵이 아닌 자기 컵이었네요.

그래.

이거 미치겠네. 컵이 하루에도 몇 개씩 깨져, 자동 판매기가 영 팔리지 않아.

?!

그러면 깨지지 않는 컵을 만들면 되잖아.

예를 들면 종이로 만든 컵이라든가?

너 제정신이냐? 물에 젖으면 맥을 못 추는 종이로 어떻게 컵을 만들라는 거야? 너 하버드생 맞아?

?!

형 말이 일리가 있네요.

물에 젖는 종이로 어떻게…

하하!

하지만 휴그 무어는 얼마 안 있어 물에
젖지 않는 태블릿이란 종이를 찾아냈다.

두웅

형! 이것 좀 봐.

찰랑

앗!

아, 아니 종이컵에
물이 담겨 있잖아?!

응! 태블릿이라는
종이인데 이것은
물에 쉽게 젖지
않아.

아~ 물에 젖지 않는
종이를 발견하다니.
너무 멋져!

음, 분명 이 때쯤
히들러 박사가 움직일
텐데 어째 조용하네요.

대체 어떤 방해 공작을
피우려는 걸까요?

음, 글쎄다.

혹… 혹시?

107

사실 휴그 무어 형제는 종이컵을 만든 후, 종이컵 사업을 시작했지만 몇몇 사람에게만 호응을 얻었어.

우린 관심 없어!

그런데 때마침 민간 보건 연구소의 사무엘 크럼빈 박사가 종이컵을 위대한 발명으로 발표하였다.

인간을 바이러스로부터 구하는 길은, 일회용 컵을 사용하는 것뿐입니다.

이로 인해 종이컵 사업은 큰 성공을 거두었다. 이어 휴그 무어는 1910년에 종이로 된 아이스크림 용기까지 만들어 냈다.

아이스크림

그, 그렇다면 사무엘 박사님한테?

으~

나, 나는 지금 바이러스에 관한 연설을 해야 한단 말이오.

당신 누구요?

연설이 끝날 때쯤 풀어 주지. 크크크.

엇?

사무엘 박사님! 어서 이 줄을 잡으세요!

에잇!

뭐야!

턱

?!

삐이이잉

안 돼~! 거기 서!

와~ 사무엘 박사님을 구했다!

정말 못 해 먹겠다!

내 이럴 줄 알았어.

고맙습니다. 누구신지는 모르겠지만 덕분에 연설을 할 수 있게 되었소.

사무엘 박사님 나와 주세요.

하마터면 큰일 날 뻔했군.

바이러스를 막기 위해서는 일회용 컵을!

아슬아슬했어요.

월리스 캐러더스

(1896~1937년)
미국의 화학자

나일론

우헤
헤헤~

꼼지야, 뭐 해
또 텔레비전 보냐?

우하하하!
엄지야, 저것
좀 봐!

어머머, 스타킹을
뒤집어썼네!

아, 내
배꼽.

히히, 아직도 웃겨.
근데 스타킹은 엄청
잘 늘어나더라.

그야 나일론으로
만들었으니까.

나일론?

응. 나일론은 탄력도 있고
질기다고 하던데…!

으히히~ 잘 모르면
박사님을 찾아가야지.

야~ 도서관
가기로 했잖아!

이젠 시도 때도 없이 너희 때문에 시간 여행을 가는구나.

헤헤, 이것보다 확실한 현장 학습은 없으니까요.

자, 이 곳이 바로 나일론을 발명한 캐러더스와 연구원이 있는 회사란다.

뒤퐁

아~

캐러더스!

네, 회장님.

어떤가? 비단을 대체할 섬유 실험은 잘 진행되고 있는가?

네, 열심히 실험하고 있습니다.

나는 자네들이 비단보다 강하고 효율적인 섬유를 꼭 발명할 거라 굳게 믿네.

최선을 다하겠습니다.

저 사람이 바로 월리스 캐러더스란다. 실력이 뛰어난 교수이자 화학자이지.

?!

111

줄리안 힐, 현재 진행 상태는 어떤가? 여러 가지 물질을 실험하지 않았나?

네, 지금까지 체인 같은 구조의 합성 고무를 만들고 저희가 연구하고자 하는 물질에 가까운 '3-16 폴리머'를 개발했습니다.

음~ 좋아.

앞으로는 3-16 폴리머에 대해서만 연구하도록 하게.

네, 알겠습니다.

앗!

7.1억

오옷? 이거 굉장한데!

이보게! 이 플라스틱 섬유의 한쪽을 좀 잡아 주게!

얼마나 늘어나는지 한번 봐야겠어!

?!

지이익

오!

와!

?!

지이익

므흥흥흥

우와응

이거 정말
굉장한걸?!

아, 드디어 나일론이
발견되는 순간이구나!

와!

와!

이거 정말
굉장히 질기고
강한 섬유인걸?

정말 대단한
섬유네!

하지만 3-16 폴리머에서
뽑아 낸 섬유로는 아직
옷을 만들 수가 없었단다.

왜요?

이런, 다림질을 하니까
녹아 버리잖아?!

약한 열에도 녹으면
아무 쓸모 없는데….

지이익

113

캐러더스와 연구팀은 1934년 인조 비단을 만들어 냈다. 그 후 1939년이 되어서야 '나일론 6'이라고 이름 붙여진 섬유가 대량 생산되었다. 이렇게 등장한 나일론은 사슬 모양의 합성 고분자 섬유였다.

와!

이후 나일론은 여전히 열에 약한 단점을 가지고 있었지만 구김이 적어서 다림질이 많이 필요하지는 않았다. 그리고 처음에는 여성용 긴 양말의 소재로 많이 사용되었다.

음, 명주실과 흡사하지만 훨씬 가볍고 광택도 나!

물에 잘 젖지도 않고 질기기까지.

촉감도 좋아!

당시엔 화학 물질이 옷감의 재료가 될 수 있다는 것이 신기할 따름이었다.

어때? 이 옷 나일론이야.

흥~ 내 것도야!

여담으로 이렇게 질기고 튼튼한 나일론에 빗대어 고집 센 사람을 '나일론'이라고 부르기도 한단다.

호호~ 딱 꼼지네요.

내가 왜?!

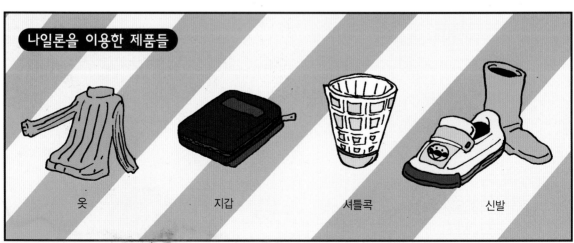

나일론을 이용한 제품들

옷   지갑   셔틀콕   신발

퍼시 스펜서

(1894~1970년)
미국의 기술자

전자 레인지

1947년 미국

히들러 박사가 이번엔 무슨 일을 꾸미려고 그러지.

사람이 좋은 계획만 세우고 살기에도 인생이 짧은데, 히들러는 왜 그러는지 모르겠다.

정말 이상한 사람이에요.

그런데 박사님, 이 곳은 레이더를 만드는 곳 같은데요?

맞아. 그런데 이 곳에서 전자 레인지가 만들어졌단다.

네? 레이더를 만드는 곳에서 전자 레인지를?

퍼시 스펜서는 레이던사의 수석 엔지니어였다.

퍼시 스펜서

그는 제2차 세계 대전중에, 초단파를 만들어 내기 위해서는 마그네트론이라는 부품이 필요하다 하여 이 일의 책임을 맡고 잇었다.

음, 마그네 트론이라….

어느 날

아차차! 시간이 벌써 이렇게 됐나?

초콜릿 먹을 시간도 없군.

쓱

후닥닥

음, 이제 실험도 슬슬 막바지에 이르는구나!

위이이잉

엇?

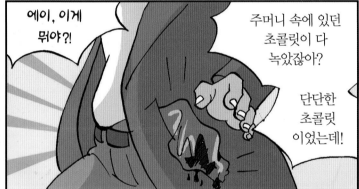

에이, 이게 뭐야?!

주머니 속에 있던 초콜릿이 다 녹았잖아?

단단한 초콜릿 이었는데!

호, 혹시 마그네트론에서 나온 열이? 그렇다면!

그는 옥수수를 가져와 마그네트론 앞에 놓고 스위치를 넣었다.

꿀꺽

116

세, 세상에…
순식간에 팝콘이
되었잖아.

펑

펑

마침 전쟁이 끝나면서 군대에서는 더 이상
마그네트론을 필요로 하지 않았다.

음, 무슨 좋은
방법이 없을까?

아, 이거 이러다 우리
모두 실직자 되는 거 아냐?

그러게
말야.

마그네트론 공장

앗, 그래, 이거야! 초단파를 이용해서
새로운 가정용 요리 기구를
만드는 거야.

쿠쿵

스펜서는 달걀로 실험했는데 마그네트론에 스위치를
넣고 잠시 지나자 달걀이 터져 버렸다. 초단파에 의해
가열된 달걀 속 수분이 수증기가 되면서 점점 압력이
높아져 터져 버린 것이다. 이를 계기로 스펜서와
레이던사는 초단파를 요리에 이용하는 방법을
특허 받았다.

펑

아, 전자 레인지의 탄생도
참 우연이었네요. 그 때
초콜릿만 아니었어도….

그렇지, 초콜릿
덕분이었지.

앗, 초콜릿?!

스펜서의 주머니에서 저 초콜릿만 빼내면 전자 레인지 발명의 주인공은 바로 내가 되는 거라고! 크크크.

이 낚싯줄을 주머니에 집어 넣기만 하면?

♪♬

살살살

어? 이상하다!

왜 낚싯줄이 쭉 내려가지 않고 자꾸 흔들리지?

흔들 흔들

엥?!

휘익

안 돼!

칠 컹

이히히~!

?!

118

이 낚시 바늘은 우리가 접수한다.

어디손 미워 잉!

메롱~

...

이번엔 타로의 초강력 자석 덕분이었어요!

하하, 그러게.

근데요, 박사님. 전자 레인지는 처음부터 크기가 지금처럼 작았나요?

그건 아니다. 처음엔 냉장고만큼이나 컸고 많은 전력을 사용했단다. 이름 또한 '레이다 레인지'라고 불렸지.

1965년에 레이던사는 점점 전기 사용량도 적고 부엌 탁자 위에 놓일 정도로 작은 전자 레인지를 만들기 시작해 오늘에 이르렀다.

현대의 전자 레인지

참고로 하나 일러 둘 게 있는데 전자 레인지를 작동할 때에는 전파의 양이 다른 전기 기구보다 많기 때문에 좀 떨어져서 작동하는 게 좋단다.

용기도 전자 레인지용을 쓰는 게 좋고요? 히히.

119

이부카 마사루

(1908~1997년)
일본의 사업가

워크맨

120   * MP3 플레이어 : 영상 압축 기술의 표준 규격인 MPEG에서 규정한 고음질 오디오 압축 기술로, 음질은 음반과
거의 같은 수준이면서 음반 CD에 있는 음악 파일 용량을 대폭 줄여 담을 수 있는 장치

박사님! 우리 워크맨의 탄생을 보러 가요!

그래요, 워크맨 발명이라도 봐야 제 기분이 풀릴 것 같아요.

워크맨 워크맨.

그래, 특별히 꼼지의 기분 전환을 위해서 시간 여행을 해 보자!

와!

1979년 일본

와, 소니사네요!

SONY

여기서 워크맨이 만들어졌나 보죠?

그래.

저 사람이 바로 소니의 사장 이부카 마사루란다.

음, 오늘 오전 회의에서는 신제품 개발에 대해 여러분께 주문하고 싶은 것이 있습니다.

스테레오 기능이 있는 소형 테이프 리코더입니다.

두둥

소형 테이프 리코더?

웅성 웅성

스테레오 기능이 있는?

사실 저 개인적으로는 사업 문제로 여러 대륙을 다닐 때마다 지루함을 견디기 힘들었습니다.

고오오오오

그래서 다른 사람을 방해하지 않으면서 음악을 들을 수 있는 기계가 있으면 좋겠다는 생각을 많이 했습니다.

♩

4일 후

사장님, 일단 시제품을 만들어 봤습니다.

오, 그래요?

오호! 주머니에 들어갈 정도로군. 좋았어!

짜

안

음~! 음질도 뛰어나고. 딱이야!

그런데 사장님, 한 가지 문제가 있습니다. 스피커가 없는데 어쩌죠? 이렇게 큰 헤드폰은 소형 테이프 리코더와 안 어울리는데요.

음, 그런 문제가 있군.

그렇다면 헤드폰을 바꿔 보는 건 어떨까?

네?

사람이 헤드폰을 끼고 있다는 것을 느끼지 못할 정도로 작고 가벼운 헤드폰 말이야.

그리하여 워크맨이라 이름 붙인 소형 테이프 리코더와 작은 이어폰까지 탄생하게 되어, 1979년 6월에 세상에 첫선을 보이게 되었다.

NEW WALK MAN

워크맨?

?!

그러나 정작 한 달간은 거의 팔리지 않았다.

가우뚱

이럴 리가 없는데?

하지만 그 후 워크맨은 점차 소문이 나기 시작하면서 빠르게 팔리기 시작하였다.

어, 저게 뭐지?

이런 촌놈들! 아직도 '워크맨'을 모른단 말야?

워, 워크맨?

와, 이거 대단한걸!

여행중이나 길을 걸으며 듣기엔 짱이라구!

이렇듯 워크맨의 인기는 날이 갈수록 높아 갔다.

아이고, 제품이 모자라 못 팔 지경이에요.

SONY

이렇듯 워크맨은 오늘날의 저 소니사를 있게 한 일등 공신이 되었단다.

아하!

WALK MAN

워크맨   워크맨

어때, 여행은 즐거웠니?

네, 무척이요!

지이잉

근데 워크맨을 보니 더욱 엠피쓰리가 사고 싶어졌어요.

엄마, 엠피쓰리 사 줘요~!

괜히 다녀왔나?

데이비드 브쉬넬

미국의 군인

잠수함

엄지야, 내가 문제 하나 낼게, 맞혀 봐.

500명이 탈 수 있는 배가 100명도 안 탔는데 가라앉았대. 왜 그러게?

넌 센스 있으니까 맞힐 수 있을 거야.

글쎄, 잘 모르겠는데!

잠수함이니까 그렇지 이 바보야. 엄지 바보!

뭐야?

박사님, 잠수함 보러 가요.

지금은 안 돼. 미안하다.

타로를 정비중에 있거든. 이번 기회에 미흡한 점을 고쳐 보려고….

에이~

그래도 지금까지 문제 없었잖아요. 빨랑 가요.

안 된다니까. 손을 댄 상황이라 혹시 무슨 일이 생길지도 몰라. 다음에 가자꾸나!

아이, 박사님! 박사님 발명품이 무슨 문제가 있겠어요.

허허~ 녀석들.

칵

퍼웅

1776년 미국

으아악!

일단 피하자.

아이고, 왜 이런 위험한 곳에.

그것 봐라. 아직 타로가 정상이 아니라 했지?

그러니까 안전 지역도 확인 못하고 전쟁 한복판에 들어왔잖니!

탕

헉!

으앙~

헉!

근데 잠수함이 이런 전쟁통에서 발명되었나요?

칵

그래.

지금은 영국의 식민지인 미국의 독립 전쟁이 한창일 때란다.

쿵

산업 혁명 이후 영국은 어마어마한 발전으로 최신 무기를 가지고 미국을 공격하였다.

발사!

무엇보다도 영국 군함은 해안을 장악하고 있어서 미국은 무척 불리한 상황이었다.

펑

펑

일단 우리는 안전한 곳으로 자리를 옮겨 데이비드 브쉬넬을 찾아보자.

콰!

네.

살금 살금

최초의 잠수함은 1624년에 네덜란드의 반 드라벨이 템즈 강에서 5미터를 잠수하여 항해했다고 한다. 하지만 자유롭게 잠기고 올라오는 잠수함은 브쉬넬이 만든 거지.

여긴 조용하네.

야! 박사님, 저기….

군함, 군함이 문제야. 해안을 점령하고 강력한 대포가 있어서 보통의 배로는 접근 하기가 힘들어…. 무슨 방법이 없을까?

브쉬넬이다.

뭐지?

둥둥둥

쏙

통

127

그래! 저런 나무통에 사람이 들어갈 수만 있다면….

물 속으로 가라앉고 싶을 때는 통 속에 물을 넣고 물 위로 뜨고 싶을 때는 물을 적당히 빼면?

좋았어! 연구해 보자!

두 둥

아, 잠수함의 원리가 그런 거군요.

한 사람의 투철한 애국심이 잠수함을 만들어 낸 거네요.

그렇지.

야호, 완성이다! 이것을 터틀호라 불러 줘!

두 발로 배 밑바닥의 핸들을 돌려 물의 양을 조절해 뜨게 하거나 가라앉게 할 수 있다.

드디어 영국 군함을 공격하기 전날

이제 저 터틀호를 타고 영국의 전함 밑으로 접근해 폭탄을 장치하려는 거란다.

성공했나요?

기록에 의하면 폭탄을 설치해서 폭발을 일으키긴 했지만 완벽하게 성공하진 못했단다.

펑

하지만 이 사건으로 영국군의 사기는 많이 꺾였다.

밤에 뭔 일이야!

우왕 좌왕

이렇게 하여 결국 기나긴 싸움 끝에 미국은 1783년에 영국의 압제에서 벗어나 독립을 하게 되었다.

그 후 브쉬넬의 잠수함은 빠른 속도로 개량, 발전되어 오늘날과 같은 최첨단 잠수함의 모습이 되었다.

아~ 이번 여행은 스릴 만점이었어요.

에고, 다음부턴 정비할 땐 절대 여행 안 갈 거다.

카를 벤츠

(1844~1929년)
독일의 기술자

자동차

음… 역시 차는 벤츠가 멋지다니까.

킹고릴라 X! 이번엔 벤츠의 자동차다. 두고 봐라, 이 히틀러가 자동차계의 대부가 될 테니!

히틀러 박사도 정말 끈질기네요. 또 나타나다니!

글쎄 말이다.

1885년 독일

아, 저기 벤츠의 모습이 보이는구나!

벤츠는 어린 시절 자전거를 타면서 엔진이 달린 자동차의 꿈을 키우기 시작했다.

에고, 힘들어. 엔진으로 가는 차가 있으면 편할 텐데….

그러나 가난한 벤츠는 자동차를 만들다 포기하기를 반복하며 지냈다.

휴~, 차를 만들고 싶어도 돈이 있어야 만들지.

저, 벤츠 씨, 전 당신이 연구하고 있는 가스 엔진을 장착한 자동차에 관심이 있습니다. 괜찮으시다면 저와 함께 일해 보시는 게 어떻겠습니까?

좋아요.

음, 가스 엔진이 생각보다 너무 크군!

이렇게 크면 차체가 무게를 견뎌 내지 못할 텐데….

이렇게 하여 벤츠는 열심히 연구하기 시작하였다.

그 때 마침 벤츠는 가솔린 가스의 폭발 사고를 접하게 된다.

콰

에고.

펑

가솔린 가스가 새어 나왔대요.

가, 가솔린 가스가 저 정도로 힘이 있다니!

펑

콰앙

가, 가만! 그래, 바로 이거야!

그렇게 하여 1885년에 벤츠는 가솔린 엔진이 장착된 최초의 삼륜 자동차를 선보이게 된다.

자동차의 바퀴가 처음부터 네 개는 아니었군요!

네 바퀴 자동차는 1년 후, 다임러에 의해 만들어졌다.

음, 이 때쯤 히틀러가 등장할 텐데….

딩동~ 딩동~

앗, 저, 저기….

누구시죠?

아, 저는 벤츠 씨의 자동차 연구에 도움을 주고자 하는 사람입니다.

히, 히틀러 박사!

앗, 박사님! 저쪽에서 웬 소리가!

읍~읍!

똑똑!

아니!

갑자기 웬 남자가 나타나서 내 돈 가방을 뺏고 나를 묶었습니다.

제가 이 돈으로 벤츠 씨가 연구할 수 있도록 성심껏 도와 드릴 테니, 이 계약서에 히틀러의 자동차라고 사인만 하시면 됩니다.

음~

어서 사인을...

꼼짝 마라!

당신을 사기와 납치 혐의로 체포 하겠다.

헉! 어디손!

빨리 도망가자!

박사님, 어서 타세요!

잡아라!

칫!

뭐, 뭐야?!

도대체 이게
어찌 된 일인지….

그, 그게….

멍~

아, 사실은 제가 당신을 찾아가던 중에
아까 그자가 갑자기 나타나 나를 묶고는
당신과 엉터리 계약을 하려 한 것입니다.

아니!

벤츠 아저씨, 이분하고 계약을 맺으세요.
아주 좋은 분이니 아저씨에게도
좋은 일이 많이 생길 거예요!

아~!

그럼 이만 저흰
가 보겠습니다.

고마워요~
조심히 가세요!

아~ 이번에도
대성공이야.

근데 히들러 박사가
점점 방해 공작을 대담
하게 펴서 걱정이야.

하지만 어림없어!
정의는 반드시 승리하니까!

맞아, 맞아!

134

빰빠라빰빠~
빰빠라빰빠~

너 뭐 하니?

뿅

난 슈퍼맨이다.
엄지야, 네가 위험한 일에
처하면 어디든 날아가서
내가 구해 줄게!

치~

하하, 녀석들.
나도 어릴 땐 그런 장난을
많이 치며 놀았는데….

비행기가 없던 시절엔 많은
사람들이 새처럼 하늘을 훨훨
날고 싶어했단다.

부럽다.

훨~훨

저도 새처럼 날고 싶은걸요. 근데
비행기는 쇳덩이로 되어 있는데
어떻게 하늘을 날 수 있는 거죠?

고오오옹…

그럼 이번엔 비행기의
발명을 보러 갈까?

앗! 그러면 라이트
형제를 만나러 가겠
네요? 와, 신난다.

135

1896년 미국

릴리엔탈 사망!

이런 세상에! 릴리엔탈이 글라이더 시험 비행중에 사망하다니!

그래도 이 사람 참 대단한 것 같아. 자신의 꿈을 위해 목숨까지 내걸고….

그러게 말야.

하, 우리도 한때는 하늘을 나는 꿈을 꿨는데…. 지금은 자전거 가게를 하고 있으니….

...

이러지 말고 우리 다시 날아다니는 기계를 만들어 보는 게 어때?

그, 그럴까?

아, 저 사람들이 최초의 동력 비행기를 만든 라이트 형제구나!

처음엔 자전거 가게를 했구나!

그들은 비행기에 관련된 공부를 열심히 하고 새가 나는 모습을 보며 연구하기도 했다.

공부할 게 참 많군.

음.

내 생각엔 날개의 모형은 그냥
평범한 수평은 아닌 것 같아.

음~

가령 이렇게 부드러운 곡선이라면
굽은 면 위로 흐르는 공기의 흐름이
회전을 가능하게 할 것 같지 않아?

아!

BOX

그리하여 독특하게 비틀어진 날개를 단 글라이더를
가지고 실험했다. 그 후, 그들은 동력 비행기를
제작하면서 프로펠러도 발명했다.

자, 이렇게
연처럼 줄을 매달아
띄우면? 와, 뜬다.

이번엔 우리가
직접 타 보자!

1902년
키티호크 해변

조심해!

와아아~
하늘을 난다!

안 다쳤어?

아이쿠.

쿵

137

저렇게 실패를 거듭하면서 공기의 흐름 등 여러 가지 공부는 되었겠는걸요?

하하, 그렇지.

1903년 12월 17일

와~! 오늘이 바로 역사적인 날이군.

저것이 플라이어 1호예요!

꼭 성공하면 좋겠다.

근데 구경꾼은 고작 저 사람들뿐이야?

글쎄.

준비 됐지?

응!

자! 출발이다!

플라이어 1호

슈우우웅

둥

와!
떴다, 떴어!

위이잉

와~!

하~
신기하다.

나도
태워 줘요.

이 날 시험 비행은 59초 동안 244미터 정도를 날았다.

하하!
성공
이야.

앞으로 좀더
연구해 보자!

라이트 형제의 시험 비행 성공은
역사적으로 아주 큰 의미가
있지요?

그렇지. 그들의 성공은 곧 인류의 하늘을
향한 모험과 도전에 큰 힘이 되었단다!
덕분에 지금의 비행기가 탄생한 거지.

와우!

근데 넌 아직도
보자기 쓰고
장난하냐?

얕보지 마. 미래엔 특수
비행 보자기가 만들어져서
정말 하늘을 날게 될지도
모른다고!

하하하.

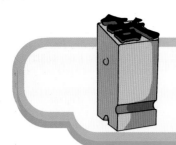

흠….

흠….

흠….

응?

흠….

아니, 아까부터 뭘 그리 골똘히 생각하고들 있냐?

박사님!

그 동안 시간 여행을 하면서 많은 발견과 발명을 보았는데, 왜 우리 나라에는 최초로 만들어진 발명이 없을까 하고 생각하고 있었어요.

그래서 왠지 좀 섭섭하더라고요. 세계적인 발명은 전부 다른 나라에만 있으니….

하하, 엄지와 꼼지, 너희들 생각이 깊구나. 제법인걸!

에이, 뭘요!

실은 우리 나라의 발명품도 많이 있단다. 해시계, 거북선, 측우기 등이 대표적인 발명품들이지.

해시계

거북선

측우기

하지만 그 중에서도 세계적으로 인정받는 최고의 발명품이 있단다.

네? 그게 뭔데요?

바로 고려 시대에 만들어진 금속 활자란다.

금속 활자요?

자, 그러면 이번엔 우리 나라 고려 시대로 가 보자꾸나.

좋아요!

와!

고려 시대 고종 19년(1232년)

여기가 고려 시대? 히히, 꼭 민속촌 놀러온 기분이다.

히히, 나도!

근데 얘들아, 문제가 좀 있단다.

네? 뭐가요?

맞아요.

우리 금속 활자 인쇄는 1200년대부터 시작되었다는데 기록만 있을 뿐 인쇄된 책이 제대로 전해지지 않고 있어요. 그래서 누가 어디에서 금속 활자를 주조하였는지도 알 수 없지요.

그, 그럴 수가!

그런 귀한 것을!

으앙~ 그토록 귀한 우리 문화 유산을 어떻게 보관했길래~!

에고, 안타깝다.

하지만 다행히 번각본에 그에 관한 기록이 있어 그 시기를 짐작할 수는 있단다.

아…

번각본에는 강화도로 천도(1232년)하기 이전에 개경에서 찍어 냈다는 기록이 있다.

그리고 금속 활자를 주자라고도 한다.

*번각본: 한 번 새긴 책판을 본보기로 삼아 다시 새겨 판에 박아 낸 책

그런데 금속 활자는 무엇으로 만들었나요? 혹시 금?

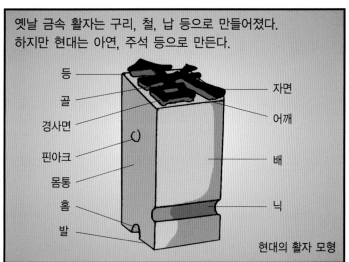

옛날 금속 활자는 구리, 철, 납 등으로 만들어졌다. 하지만 현대는 아연, 주석 등으로 만든다.

등
골
경사면
핀아크
몸통
홈
발

자면
어깨
배
닉

현대의 활자 모형

하~ 정말 신기해요. 그 시기에 어떻게 쇠로 글자를 만들 생각을 했을까요?

엄지 말대로 활자를 주조할 수 있는 주형의 발명은 당시의 기술로는 놀라운 것이었다.

오!

아!

하지만 정교하지 않아서 활자의 크기와 모양, 굵기 등이 고르지 않았다.

그런데 우리의 금속 활자가 어떻게 세계에서 인정받게 된 거죠?

금속 활자가 공인된 계기는 프랑스 파리 국립 도서관에 소장되어 있는 고려 말의 사본인 〈백운화상초록불조직지심체요절〉(1377년)이 공개된 후이다.

이것은 청주 흥덕사에서 간행된 것으로, 독일의 구텐베르크의 금속 활자보다 200여 년이 앞서는 과학적 발명으로 인정받게 된 거란다.

우아와~ 200년씩이나!

하~ 어쨌든 우리의 발명품이 세계에서 인정받는 최고라니 너무 뿌듯해요!

그러니까 앞으로는 너희가 세계 최고의 발명품을 만들어 내길 바란다. 그에 앞서 소중한 우리 문화 유산을 잘 관리하고 보관하는 것도 중요하단다.

예, 알겠습니다!

박사님, 그런 의미에서 우리 모두 다 함께!

대한민국!!

짝짝!!

하하하!

좋아, 좋아!

으~ 정녕 어디손을 이길 수 없단 말인가?

어릴 적부터 발명 대회에서 늘 어디손에게 1위를 빼앗기고!

지금도 만날 당하기만 하고 있으니….

부르르

나도 노력 하는데 남들만 노벨상을 받고….

난 이게 뭐야!

그래! 내가 노벨상을 못 받을 거라면 차라리 다른

사람들도 못 받도록 노벨상을 없애는 거야.

흥!

그게 가능 한가요? 쳇!

뭣이!

그거야 간단하지! 노벨이 노벨상을 만들지 못하게 하면 되지.

그럴려면 그 전에 다이너마이트를 발명 못 하게 해야 해.

음!

145

이번엔 히틀러가 다이너마이트를 노리고 있구나.

1867년 독일

노벨이 발명한 다이너마이트요?

근데 박사님 노벨은 스웨덴 사람 아닌가요?

그래. 그런데 이 해에 노벨은 독일 공장 화약 창고에서 다이너마이트에 꼭 필요한 규조토를 발견하게 된단다.

하여튼 다이너마이트의 발명은 건설에 필요하고 화약 폭발 사고의 위험을 줄이는 꼭 필요한 발명인데다가….

오늘날 노벨상이 있게 한 발명이기도 하죠?

그래. 그러니 반드시 히틀러의 방해를 막아야 한다.

오호! 네가 웬일이냐?

원래 노벨의 아버지는 군사 무기를 생산하였는데 그 후에 화약을 발명해서 생산하기 시작했다. 당시 화약은 니트로글리세린이 주원료인 액체성 화약이었다. 이것은 폭발력이 대단했다.

DANGER

덕분에 노벨 부자는 광산과 건설 공장에서 큰 인기를 끌면서 성공하였다.

쾅

쾅

하하, 노벨아, 우리 금방 부자 될 것 같지 않니?

그러나 액체성 화약은 작은 충격에도 폭발 사고가 일어났다.

스으윽

숯가루

앗?
스며 들었다!
그렇다면….

그래! 바로
이거야!

이 날부터 노벨은 액체 화약에 대한 흡수량이
높은 고체를 찾는 데 온 신경을 집중했다.

숯가루

톱밥

벽돌 가루

흠, 좀더 좋은
게 없을까?

그 무렵 노벨은 독일 공장에서
화약 창고를 점검하고 있었다.

위험해요!
빨리 나가세요!

스스스

어?

이, 이건 규조토잖아!

단단해
졌다.

노벨은 규조토를 이용해 고체 화약 실험에 착수했다.

이것 봐라, 규조토가 자신의 무게 두 배 정도 되는 액체성 화약을 빨아 들이네.

이건 굴려도, 망치로 두들겨도 안전해!

콰

쾅

그리고 오직 뇌관을 이용해서만 폭발한다.

콰쾅

스으윽

하하하, 이제부터 이것을 다이너마이트라고 불러 줘!

그 후 노벨은 큰 부자가 되었지만 늙어 가면서 검약한 생활을 했다. 1896년 12월 10일, 그는 마지막 유언을 남기고 숨을 거두었다.

나는 사람을 해하려고 이것을 만든 게 아닌데….

그 유언은 해마다 다섯 분야(물리학, 화학, 생리학·의학, 문학, 평화)에 걸쳐 인류에게 가장 큰 공헌을 한 사람에게 자신의 유산을 상금으로 주라는 것이었다. 이것이 노벨상이다. ※ 경제학은 1969년에 신설되었다.

히들러의 반성

아무래도 히들러가 이 곳에 온 것은 노벨이 규조토를 발견하지 못하기 위해서일 거야.

그럼 어서 화약 공장으로 가요.

노벨이 이 곳으로 오기 전에 규조토를 모두 걸어 내 버리면?

으히히~, 다이너마이트는 없는 거야.

킹고릴라 X! 이 규조토를 다른 곳으로 옮기거라!

네, 박사님!

엇?

앗!

이게 뭐야!

이 규조토는 우리가 보관하겠다, 히들러!

아니, 여기까지 쫓아오다니.

앗, 어디손!

킹고릴라 X! 저들을 떨어뜨려라.

물대포 준비!

넷!

발사!

악!

애, 얘들아! 꽉 잡아라!

우웃, 차가워!

박사님, 규조토에 물이 스며들고 있어요.

박사님, 타로의 팔이 자꾸 빠지고 있어요. 어떡해요?

아아, 점점 무거워~.

푸하하~ 꼴좋다.

철컹

으~ 으….

아예 규조토 반죽이 돼 버렸어요.

앳! 놓쳤다!

미끌

슈우우우~

으아악~

쩌어억

하하! 히들러 박사랑 킹고릴라 X가 규조토를 뒤집어썼네.

뭐, 뭐야 이거!

이보게 히들러, 자네의 엉뚱한 경쟁 의식과 욕심이 결국엔 이런 결과를 낫지 않았나?

으으~

자네의 뛰어난 발명 능력을 계속 이런 식으로 낭비할 텐가!

시끄러워!

앞으로 발명가들을 방해하지 않고 착하게 산다고 약속하면 내 구해 주지!

으~

싫으면 관두고! 애들아, 가자!

아니!

네!

알았어, 알았어! 내가 잘못했어!

다신 안 그럴게! 약속할게!

옥 왕

좋아, '남아일언 중천금'이라 했으니 자네를 믿겠네.

으흐, 큭...

타로야, 히들러 박사와 킹고릴라 X의 규조토를 깨뜨려 주렴.

넷!

으으!

위이잉

착

애들아, 우리는 규조토를 다시 갖다 놓자꾸나!

에휴!

네!

와하하! 킹고릴라 X!

나의 새로운 발명품이다! 어떠냐?

이게 뭔데요?

동물의 말을 사람의 말로 바꿔서 나오게 하는 '음성 변조 번역기' 다!

따라서 여러 동물과 직접 대화할 수 있지!

한번 실험해 볼까? 고양이 목에 이걸 걸어 주면….

철컥

야옹!

어? 내가 인간의 말을 하네!

두둥

?!

크하하, 어떠냐?!

킹고릴라 X야, 나랑 놀자.

아, 생선 먹고 싶다.

야암, 졸려.

쟤, 너무 시끄러워요.

하하, 재밌네요. 히들러 박사님이 완전 180도로 달라지셨네요!

진짜 발명가 같아요.

그래도 친하게 놀아.

하하하!

154

올바른 발명 자세

박사님!

아니 아침부터 웬일들이냐?

사실 저번에 많은 과학자와 발명가를 만나면서 느낀 게 참 많았거든요!

그래서 우리도 그분들처럼 대단한 발명은 할 수 없더라도 생활 속에서 간단한 발명 정도는 해 보고 싶어서요!

'발명의 지름길' 같은 건 없나요?

기특한 생각이긴 한데, 발명에 특별한 지름길은 없단다.

노력과 의지만 있으면 충분하단다.

하지만 발명을 하는 데 보다 쉬운 기본 원리나 발명의 올바른 자세가 있긴 하지.

그게 뭔데요?

'발명의 기본 원리' 첫째!

'더해 보자'이다.

$$\square + \square = ?$$

가령 연필과 지우개를 합치면
지우개 달린 연필이 되듯이 물건과
물건 혹은 방법과 방법을
더해 보는 거란다.

시계 겸용 라디오

보온 겸용 밥솥

둘째!
'**빼 보는 것**'이다.

가령 벽돌에 구멍을 내어
경제적이고 가벼운 벽돌을
만들어 낸 것처럼.

뾰 뾰 뾰

추 없는 시계가 빼기 발명의
대표적인 예이지.

bye bye~

안녕~

...

셋째! '**다른 사람의 아이디어를
빌려 오는 경우**'란다.

아이디어

음, 좋아.

박사님,
그건 '모방'
아닌가요?

하하, 용도를
바꾸는 거란다.

예를 들면
'바퀴벌레 잡는 틀'은 '쥐틀'의
아이디어를 빌린 거란다.

엥?

살려 줘. 나는
미키마우스야!

넷째! **'크기나 기능을 크게 하거나 작게 하는 것'**이다. 가령 세척 효과를 2~3배 늘린 절약형 세제, 크기를 줄인 소형 자동차, 노트북, 핸드폰 등이 이에 해당되지.

소형 자동차

세제

노트북

핸드폰

다섯째, **'용도를 바꿔 보는 것'**이다. 천막의 재료로 쓰던 천을 청바지로 만들고, 겨울에만 신던 스케이트를 사계절 내내 탈 수 있는 인라인 스케이트로 바꾼 것이 대표적이지.

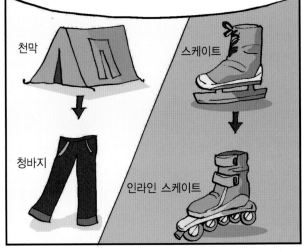

천막

청바지

스케이트

인라인 스케이트

그렇다면 '발명가의 자세'는 뭐예요?

제일 먼저, **'자신감을 가지고 임하라'**이다.

어떤 문제에 부딪혀도 이겨 낼 수 있다는 자신감이 필수이지!

헉!

자신감

둘째는 **'비논리라고 탓하지 말아라'**이다.

때로는 엉뚱한 생각이 위대한 발명을 만들기도 하니까.

그게 논리적으로 맞나?

셋째는 **'실패의 원인을 해결하라'**이다. 원인을 알아야 반대로 성공할 방법도 찾게 되는 것이지.

실패

에디슨이 '실패'를 뭐라고 했다고?

성공의 어머니요!

넷째는 '상상 속에 발전이 있다' 라는 것이다.

그래서 상상으로만 가능했던 달나라 여행도 이루어진 거야.

에이, 토끼 없잖아!

다섯째는 '놀이도 뜻있게 하자' 이다.

즐겁게, 자유롭게 시간을 보내면 좀더 창의적이고 생산적인 아이디어가 나온단다.

박사님의 얘기를 듣고 나니 저도 발명할 수 있다는 자신감이 불끈불끈 솟아요.

녀석들, 씩씩하고 밝아서 좋구나!

나도!

여러분, 발명·발견에 관해서 많이들 배웠지요?

그럼 우리랑 함께 발명의 꿈을 키워 보자구요!

더불어 이번 기회에 우리의 삶을 편리하게 해 준 분들에게 감사하는 마음도 갖도록 하세요.

미래의 발명왕 여러분! 안녕!

Why?

과학을 잘하고 싶다면, 우리 주변에서 볼 수 있는 모든 것에 '왜?' 라는 질문을 던져 보세요.
과학의 발전은 아주 작은 호기심에서 출발합니다.

Why? 우주
감수 조경철
(이학박사)

Why? 바다
감수 한상준
(한국해양연구원 원장)

Why? 날씨
감수 안명환
(전 기상청장)

Why? 곤충
감수 최임순
(이학박사)

Why? 똥
감수 박완철
(한국과학기술연구원 책임연구원)

Why? 물
감수 신항식
(한국과학기술연구원 건설환경공학과 교수)

Why? 로봇
감수 오준호
(한국과학기술원 기계공학과 교수)

Why? 외계인과 UFO
감수 맹성렬
(한국유에프오연구협회 연구부장)

Why? 자연재해
감수 이윤수
(한국지질자원연구원 선임연구원)

Why? 질병
감수 지제근
(서울대학교 의과대학 명예교수)

Why? 물리
감수 김제완
(과학문화진흥회 회장)

Why? 인체
감수 박용하
(한국생명공학연구원 책임연구원)

Why? 컴퓨터
감수 박순백
(컴퓨터 칼럼니스트)

Why? 식물
감수 김태정
(한국야생화연구소 소장)

Why? 동물
감수 최임순
(이학박사)

Why? 지구
감수 조경철
(이학박사)

Why? 환경
감수 최열
(전 환경운동연합 사무총장)

Why? 생명과학
감수 박용하
(한국생명공학연구원 책임연구원)

Why? 핵과 에너지
감수 김정흠
(전 고려대학교 명예교수)

Why? 사춘기와 성
감수 이혜성
(한국청소년상담원 원장)

Why? 공룡
감수 이융남
(한국지질자원연구원 선임연구원)

Why? 화학
감수 김건
(고려대학교 이과대학장)

Why? 발명·발견
감수 왕연중
(한국발명진흥회 특허관리지원팀장)

Why? 남극·북극
감수 김예동
(해양연구원 부설 극지연구소 소장)

Why? 화석
감수 이융남
(한국지질자원연구원 선임연구원)

Why? 독 있는 동식물
감수 심재한
(한국 양서·파충류 생태연구소 소장)

Why? 동굴
감수 우경식
(강원대학교 지질학과 교수)

Why? 갯벌
감수 임현식
(목포대학교 갯벌연구소 소장)

Why? 로켓과 탐사선
감수 채연석
(한국항공우주연구원 연구위원)

Why? 교통수단
감수 송성수
(과학기술정책연구원 연구위원)

한국과학문화재단 선정 우수과학만화(우주·바다) / 한국과학문화재단 선정 우수과학도서(날씨·똥) / 교보문고 좋은책 150선 선정도서(곤충) / 한국일보 제정 한국교육산업대상 수상

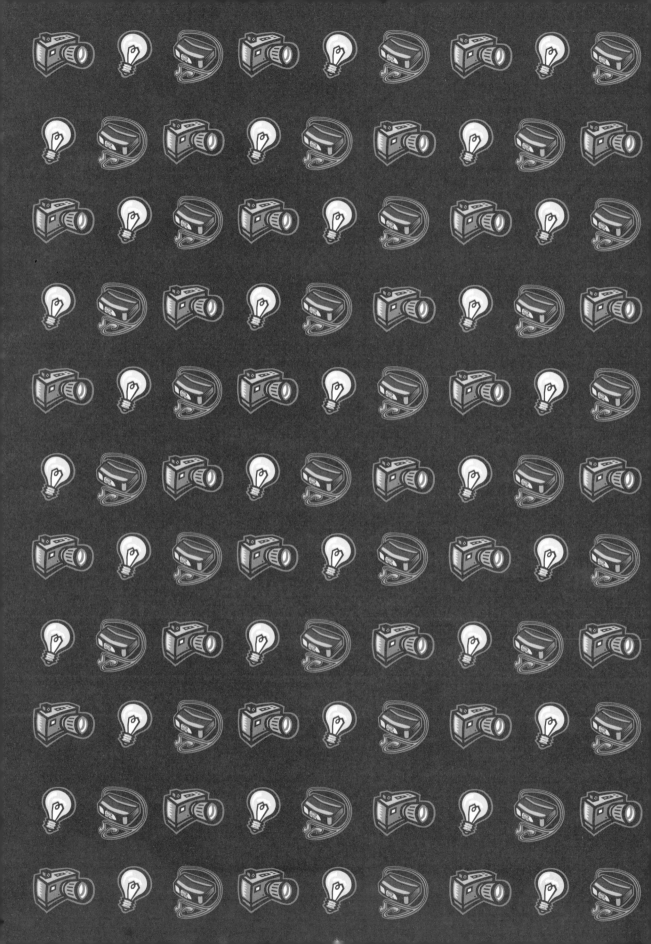